PUT SOME FAROFA

A marca FSC® é a garantia de que a madeira utilizada na fabricação do papel deste livro provém de florestas que foram gerenciadas de maneira ambientalmente correta, socialmente justa e economicamente viável, além de outras fontes de origem controlada.

GREGORIO DUVIVIER

Put some farofa
Crônicas

3ª reimpressão

COMPANHIA DAS LETRAS

Copyright © 2014 by Gregorio Duvivier

Grafia atualizada segundo o Acordo Ortográfico da Língua Portuguesa de 1990, que entrou em vigor no Brasil em 2009.

Capa
Alceu Chiesorin Nunes

Foto de capa
Christian Gaul

Revisão
Adriana Bairrada
Luciane Helena Gomide

Dados Internacionais de Catalogação na Publicação (CIP)
(Câmara Brasileira do Livro, SP, Brasil)

Duvivier, Gregorio
  Put some farofa / Gregorio Duvivier. — 1ª ed. — São Paulo :
Companhia das Letras, 2014.

ISBN 978-85-359-2506-7

1. Crônicas brasileiras I. Título.

14-10053   CDD-869.93

Índice para catálogo sistemático:
1. Crônicas : Literatura brasileira 869.93

[2016]
Todos os direitos desta edição reservados à
EDITORA SCHWARCZ S.A.
Rua Bandeira Paulista, 702, cj. 32
04532-002 — São Paulo — SP
Telefone: (11) 3707-3500
Fax: (11) 3707-3501
www.companhiadasletras.com.br
www.blogdacompanhia.com.br

Sumário

Com farofa, com afeto, 9

GRANDES, PEQUENOS, GIGANTESCOS
Mas antes, 15
Papai, 17
Grande-amor-da-vida, 20
Se o prédio tivesse trinta andares, 22
Intimidade, 24
Breve história da internet, 26
Calma, Cláudio, 28
Me dá só cinco segundos que eu faço você voltar pra mim, 30
Vozinha, 31
Assunto urgente, 33
Terapia de casal, 35
Meus pais, 38

CRUZADA ELUCIDATIVA A FAVOR DA FAMÍLIA BRASILEIRA
História real, 43

Tribunal, 45
A coluna inútil daquele maconheiro, 48
Leiconha, 50
A família brasileira, 52
É menina, 54
Xingamento, 56
O sujeito detestável, 58
Crianças, 60
É menino, 62
Orgulho hétero, 64
Parei tudo, 66
Péssimo mau gosto, 68
Pão nosso, 70
A religião dos outros, 73
Deus e a Copa, 75
Chuteira, 77
Acabou a baderna, 80
Xingó-Kaiapu, 82
A boa de segunda, 84
Moda reaça, 86
Pobres, 88
Quem nunca, 90
O país e o armário, 93

PUT SOME FAROFA
Cabeça do Gregorio, 97
Nuances, 100
Autor não encontrado, 103
Garçom vegetariano, 105
Horóscopo, 107
Tradução simultânea, 109
Piada, 111

Pardon anything, 113
Número de emergência, 115
Se eu morresse..., 117
O seguro morreu de chato, 119
Nutrição, 121
O ovo, 123
Esse ano passou rápido, 125
O homem de 2003, 127
Drédito, 129
É melhor ter wi-fi que ter razão, 131
#FimDoMundo, 133

O MUNDO, PARADINHO, TEM A MAIOR GRAÇA
Túnel do tempo, 137
Sessão de terapia, 139
Baixinho, 142
Áries, 144
Conto de Natal, 146
A vida no hospício, 148
Meu irmão, 151
Finch na Lua, 153
Carvana e Mnouchkine, 156
O ator precoce, 159
Amizade platônica (o Prata e eu), 162
Crítica, 165
Tempo e contratempo, 167
Leminski, 172
A lucidez alucinada dos britânicos do Monty Python, 174
Michelangelo e a Capela Sistina, 179
Lucky bastards, 181
Mosqueteiros RH, 184
O palhaço Grock, 186

Werner, 188
Cross fit consciente, 190
Não estou aqui, 192
Versão brasileira, 194
Spoilers, 196

Agradecimentos, 199
Nota dos editores, 201

Com farofa, com afeto

Uma vez, o Antonio Prata perguntou ao Gregorio: "Se alguém apontasse uma arma na sua cabeça e pedisse pra você decidir: ator, roteirista, poeta ou cronista, o que você diria?", ao que vem a resposta: "Cara, baixa essa arma". Desista, não insista. O Gregorio não vai se decidir. Se ele é tudo isso ao mesmo tempo, ao reunir o melhor da sua produção em prosa dos últimos três anos, nos deparamos com essa mesma pluralidade. "Será que sou esquizofrênico?", nos pergunta o autor ao se defrontar com seu próprio livro.

Put some farinha, manteiga, ovo, cebola, se quiser couve, bacon, banana, azeitona: a farofa é como o coração de mãe, nela quase tudo cabe e ela em quase tudo cabe. A farofa não é esquizofrênica: it's delicious.

Entre as crônicas selecionadas para este livro, você encontrará ficções com a toada lírica dos poemas de *Ligue os pontos*; textos de cunho político, panfletários e combativos, por vezes irônicos e por vezes assertivos; exercícios de estilo, textos escrachados que invadem o território do nonsense, jogos de quem vive uma relação de intimidade extrema com as palavras, e ainda peças que transbordam afeto, como as memórias de infância e os retratos de figuras que inspiraram o Gregorio em sua formação. Agora misture tudo isso.

Os esquetes bolados para o Porta dos Fundos enriquecem a farofa com sua forma particular, ainda que sejam apenas a outra face do trabalho diário do cronista antenado nos acontecimentos do dia a dia; é o trabalho feito por encomenda, com a frequência e o aperto da obrigação. A atividade do roteirista é literária e a atividade do cronista se amplia do meio impresso para o meio áudio-visual-virtual. Os textos do Gregorio têm vida própria e se comunicam entre si: escritos, filmados, falados.

O que todos eles têm em comum? Trazem pautas fundamentais que se colocam para nosso tempo-hoje/ espaço-Brasil — a crônica, esse gênero tão tipicamente brasileiro quanto a farofa! —, mas também temas insignificantes do cotidiano; são bem-humorados e se arriscam na corda bamba entre o humor chapa branca, que evita assuntos delicados, e o humor que fala em uma ditadura do "politicamente correto" como desculpa para ser preconceituoso, reacionário e de manutenção do status quo; alcançam um grande público, com frescor e originalidade; mas, acima de tudo: neles tudo cabe, eles em tudo cabem, são textos cabidos, cheios de afeto e ser-humanidade — para usar um termo cunhado pelo próprio Gregorio —, do jeito que é o coração de mãe.

A capacidade de se renovar a cada semana e de surpreender o leitor/ espectador parece não ter fim, e *Put some farofa* é resultado disso: uma aventura literária, de quem tem coragem para experimentar no estilo e na temática e só pode contar com a coragem de quem quiser enfrentar estas páginas.

Vai encarar?

Os editores

GRANDES, PEQUENOS, GIGANTESCOS

Mas antes,

JULHO DE 2013

ela saiu de casa batendo a porta. Mas antes, ele tinha mandado ela tomar no cu. Mas antes, ela tinha pedido que ele pelo menos limpasse a merda que fez. Mas antes, ele tinha derramado vinho no tapete. Mas antes, ela tinha duvidado de que ele derramaria o vinho todo no tapete. Mas antes, ele tinha dito que derramaria o vinho todo no tapete. Mas antes, ela tinha dito que não era culpa dela que ele não tinha um emprego. Mas antes, ele tinha dito que ela não precisava jogar na cara que ele não tinha dinheiro nem para comprar um tapete. Mas antes, ela tinha dito que a mãe dela merecia respeito, afinal de contas era ela quem tinha mobiliado o apartamento, do ventilador ao tapete. Mas antes, ele tinha dito que a mãe dela era uma vaca. Mas antes, a mãe dela tinha saído do apartamento batendo a porta. Mas antes, ele tinha pedido que a mãe dela saísse, de preferência sem bater a porta. Mas antes, a mãe dela tinha dito que ele estava mais gordo. Mas antes, ele tinha dito que a mãe dela estava mais velha. Mas antes, a mãe dela perguntou se ele tinha conseguido o emprego. Mas antes, ele disse que a mãe dela chegar de surpresa era só o que faltava. Mas antes, a mãe dela tinha chegado de surpresa. Mas antes, eles tinham se beijado e pedido desculpas e prometido que não iam brigar. Mas antes, ele perguntou por que é que nada que ele faz nunca está bom. Mas antes, ela tinha reclamado que ele não sabia nem abrir um vinho. Mas antes, ele tinha tentado abrir um vinho. Mas antes, ela tinha sugerido que ele abrisse o vinho. Mas antes, eles tinham se beijado. Mas antes, eles tinham deixado os filhos na casa da irmã dele. Mas antes, eles tinham dito que seria uma noite linda. Mas antes, eles tinham passado no supermercado e comprado o melhor vinho. Mas antes, ela tinha dito que tinha muito orgulho do marido que ele era. Mas antes, ele tinha chorado porque não era assim que ele se imaginava aos trinta e cinco. Mas antes, ele tinha sido recusado na entrevista de emprego. Mas antes, ela tinha dito que confiava cegamente nele. Mas antes, ele tinha dito que era só uma entrevista de emprego, e que nada estava certo ainda. Mas antes, eles tinham combinado de comemorar as duas coisas, o aniversário e o emprego novo. Mas antes, eles tinham acordado e percebido que, naquela noite, eles comemorariam sete anos juntos. Mas antes, eles tinham sido felizes. Isso antes.

Papai

AGOSTO DE 2014

Dois amigos se encontram na calçada. João parece abatido.
PEDRO João!
JOÃO Quanto tempo!
PEDRO Muito tempo! Você teve filho, né?
JOÃO Filha! Clarinha. Olha só que coisa mais linda. *João tira uma foto de bebê da carteira. Os dois abrem um sorriso.*
PEDRO Que coisa mais linda.
JOÃO Melhor coisa que eu já fiz na vida, cara. Quer dizer, não durmo há seis meses.
O clima pesa.
JOÃO Não bebo há nove. Há um ano que não vejo um amigo ou qualquer pessoa que não seja da minha família. Mas é, de longe, a melhor coisa que eu já fiz na vida. Olha que coisa mais linda.
Tira a foto. Fica feliz de novo.
PEDRO E a Maria?
Pesa o clima.

JOÃO Uma merda, Pedro. A gente não fode há três meses. Ela diz que tem nojo do meu cheiro, tem asco da minha cara, que vai ser uma vergonha pra Clarinha crescer com um pai merda como eu. Mas olha só a gargalhada desse bebê.
Mostra uma foto. Eles ficam felizes de novo.
JOÃO É ou não é a melhor coisa que pode existir na vida?
PEDRO O bom é que você trabalha em casa. Deve facilitar.
Depressão.
JOÃO Porra nenhuma. É impossível trabalhar em casa com um bebê. Eu ouço a porra da *Galinha pintadinha* o dia inteiro no repeat. Eu sei de cor todas as cenas do *Patati patatá*. O berço fica no meu escritório. Tem golfada no mouse, cocô no teclado. Impossível cumprir um prazo, entregar um texto. Perdi uns cinco trabalhos. Ninguém mais me chama pra nada. Mas você precisa ver ela engatinhando.
Ele tira um celular e mostra um vídeo. Eles sorriem.
PEDRO Isso vale qualquer esforço, qualquer grana.
Ele baixa o clima de novo.
JOÃO Nem fala em grana. A gente vendeu o carro, tamo pensando em se mudar pra Pavuna, tô sobrevivendo à base de sobras de papinha, se você souber de qualquer coisa relacionada a tradução ou edição ou revisão ou aula de português, eu também manjo de Excel, posso fazer imposto de renda, recorrer de multa no Detran, eu posso ir cobrar uma dívida que alguém tenha com você usando de violência se você me der dez por cento do que eu arrecadar. Mas olha só a vozinha dela.
Põe o celular no ouvido de Pedro. Eles sorriem.
PEDRO Que coisa mais linda. Pensa que daqui a pouco cresce e tudo fica mais fácil. Sua vida volta a ser o que era.
Triste.
JOÃO Porra nenhuma. A gente vai ter outro.
PEDRO Sério?

Ele sorri de novo.
JOÃO A gente já marcou um sexo pra novembro. Olha aqui as fotos do motel.
Eles olham pro celular. Sorriem de novo.

Grande-amor-da-vida

FEVEREIRO DE 2014

Ele conheceu o grande-amor-da-vida quando tinha quinze anos. Aprendeu num filme que o grande-amor-da-vida só existe um. Não saía mais de perto dela. Foram felizes por alguns anos. Acontece que o grande-amor-da-vida dele não era o grande-amor-da-vida dela, e ela nem acreditava nessa história de amor-da-vida nem em filmes de amor. Essas coisas acontecem (não nos filmes). Enquanto namoravam, foi bom. Depois, ela quis terminar e viajar pelo mundo em busca de outros amores-da-vida. Ele passou a vida investigando os outros amores-da-vida dela. Foi uma vida sem muitos amores-da-vida, porque foi vivida para que o grande-amor-da-vida dele não tivesse outros grandes-amores-da-vida. Não deu certo. O grande-amor-da-vida dele teve uma dúzia de amores-da-vida. Aos vinte e sete anos, ele estava deprimido porque o grande-amor-da-vida estava se casando com um dos grandes-amores-da-vida dela. Não deu bola para uma mulher que, se ele tivesse ouvido falar, entenderia se tratar do maior-amor-do-mundo. Aos trinta, conheceu o amor-da-vida-inteira num bar, mas o confundiu com uma mulher-chata-que-fala-demais. Aos trinta e dois, só viu espinhas numa moça que, numa vida alternativa, seria o amor-mais-legal-do-mundo. A primeira pessoa a alertá-lo desse desperdício de amores foi seu melhor-amigo. Deixou de ser o melhor-amigo e passou a ser só um amigo-que-não-quer-me-ver-feliz-com-o-grande-amor-da-vida. Aos trinta e cinco anos já tinha deixado passar vinte e nove sexos-inesquecíveis e oito amizades-profundas. Aos quarenta anos, o grande-amor-da-vida dele (quem diria, ela mesma) resolveu dar uma segunda chance ao passado e reviver aquele que foi, pra ela, só o primeiro-amor-da-vida. Ele precisava tanto ser feliz que não foi. E ela voltou a procurar o grande-amor-da-vida no futuro, não mais no passado. Ele se voltou para o presente e mal deu tempo de viver um ou outro sexo-surpreendente. Pode ser que o grande-amor-da-vida seja um só. Mas os amores-da-vida são muitos, e acontecem o tempo todo — grandes, pequenos, gigantescos.

Se o prédio tivesse trinta andares

AGOSTO DE 2013

Eu queria que esse prédio tivesse trinta andares. Ou de repente dois. Se tivesse trinta eu ia fazer amizade com todo o mundo que mora aqui. Se tivesse dois eu não ia falar é com ninguém. Mas se tivesse dois andares eles não iam precisar de ascensorista. Um elevador de dois andares não precisa nem de botão. Tinha que ter é trinta. Nove andares é que não dá. Quando o rapaz do 701 fala *bom dia seu Zé*, eu digo *bom dia, como vai o senhor*, e ele diz *mais ou menos a minha hérnia voltou a atacar*, e eu digo *tem um remédio excelente pra hérnia, é só pegar um pouco de sálvia e colocar num potinho, pronto já chegou no sete*. Ele diz *me explica da próxima vez pra gente não prender o elevador*, só que ele não vai lembrar de perguntar e nem eu vou lembrar de contar e mesmo que eu lembre não vai ter mais clima nenhum de falar de hérnia. A gente *só quer falar de hérnia quando a gente tá com hérnia e olhe lá*, uma vez minha esposa disse. Isso foi antes dela me largar. Ela disse que eu *só falo coisa que não interessa a ninguém na hora que ninguém quer saber*. Mas isso faz muito tempo. Ela não falava era com ninguém. Mas ela não mexia com elevador. Aí é fácil. Quando a gente mexe com elevador é diferente. A gente mexe com seres humanos. E acaba se envolvendo. Nove andares é o bastante pra ouvir um pouquinho da conversa da moça bonita que trabalha no 902 e saber que a patroa dela *não gosta de batata corada, só de batata noisette*, e quando eu pergunto *como é que é uma batata noisette*, ela diz é redondinha e crocante, e quando eu pergunto *como é que faz batata noisette*, já tá na altura do sexto andar e eu penso que não vai dar tempo dela explicar, e quando eu penso isso já tá no sete e ela diz é complicado não vai dar tempo de eu explicar, e aí eu digo *bem que o prédio podia ter trinta andares só pra você me explicar*, e ela diz *Deus me livre, morro de medo de altura*, mas se o prédio tivesse trinta andares eu ia dizer *a gente pode até namorar*, e ela ia dizer *taí, isso não é uma má ideia*, daí a gente ia parar o elevador e namorar ali mesmo. Se o prédio tivesse trinta andares. Só que não tem. E a porta já abriu há muito tempo e ela já foi embora e disse *tchau seu Zé*. E não fiz nem uma amizade daquelas de sair pra tomar uma cerveja depois do expediente. Ah, se esse prédio tivesse trinta andares. Mas não. Minha mulher é que tinha razão. Eu não vou mais falar é com ninguém.

Intimidade

ABRIL DE 2014

Casal jantando. Barulho de garfos. Silêncio.
ELE Meu chefe hoje chegou pra mim e disse que...
ELA ... Se você quisesse ele te transferia pra São Paulo.
Silêncio constrangedor.
ELA Você já me falou.
Silêncio.
ELE Você viu o que o Jorge escreveu no Facebook?
ELA Eu que te mostrei.
ELE Verdade.
Silêncio.
ELA Acho que tá na hora da gente terminar.
Silêncio.
ELE Eu posso, pelo menos, saber o porquê?
ELA Por quê? Por isso.
ELE Isso o quê?
ELA Eu sabia que você ia dizer "eu posso pelo menos saber o porquê" ao invés de só perguntar "por quê".
ELE Eu sou realmente assim tão previsível?

ELA Eu também sabia que você ia dizer isso.
ELE É fácil dizer que você sabia que eu ia fazer uma coisa depois que eu já fiz.
ELA Pensa numa palavra.
Os dois falam juntos.
OS DOIS Mesa. Prato. Chão. Parede.
ELE Como é que você consegue?
ELA Você não consegue pensar numa coisa que você não esteja vendo na sua frente.
ELE Claro que consigo.
OS DOIS Plâncton. Peroba. Esfíncter. Michelangelo. Nunchaku.
ELE Como é que você fez isso?
ELA Você olhou pro seu prato e viu um peixe que te fez pensar em *plâncton*. Plâncton te lembra mar, que te lembrou as férias em Iguaba, que é uma palavra que te lembra *peroba*, que é uma madeira, que te fez pensar numa farpa, que te deu aflição e fez contrair o *esfíncter*, que te lembrou do mestre Splinter, que te fez pensar no *Michelangelo*, sua tartaruga ninja preferida, cuja arma era um *nunchaku*.
Ela tapa os olhos. Começa a narrar o que ele tá fazendo.
ELA Agora você tá levando a mão direita e colocando na testa. Com a outra mão você tá pegando o copo d'água. Você vai beber a água. Desiste de beber só porque eu falei. Você vai dizer alguma coisa.
OS DOIS Será que tem alguma coisa que eu possa fazer pra te surpreender?
Ele joga a água no rosto dela. Mas ela já estava com um guarda-chuva aberto, seca. Ela fecha o guarda-chuva.
ELA Não, meu amor. Acabou.

Breve história da internet

AGOSTO DE 2013

Conheceram-se na sala '10 a 15 anos' do bate-papo UOL. De onde teclas? Ele teclava de Belo Horizonte, ela de Caxias do Sul. Ele deu um número de ICQ. Passaram dias ao som de oh-ou e navios partindo. Ele pediu uma foto. Ela não tinha foto. Descreveu-se ruiva (não era). Ele se apaixonou perdidamente. Pediu o e-mail dela: era do iG, por causa do cachorrinho. O dele era Zipmail, por causa da Luana Piovani. Mandou um poema. Ela respondeu dez minutos depois. Trocaram todo tipo de poemas e cartas de amor. Até a caixa postal dele lotar, na semana seguinte. Ele apagou todos os e-mails que não eram dela (ou pra ela). Não eram muitos. Logo lotou de novo. Migraram para o Hotmail. A caixa postal era um pouco maior. Conheceram o MSN. Ele pediu uma foto. Ela pintou o cabelo de vermelho só pra foto. Mandou. Ele gostou mais ainda. Ela fez um Fotolog só com fotos dela. Pra ele. O Fotolog fez sucesso, não só com ele. Combinaram de se encontrar em São Paulo. Ele foi, ela não. Pararam de se falar por um tempo. No Orkut, se encontraram dois anos mais velhos. Ela pediu desculpas em um lindo testimonial.

Ele aceitou. As desculpas, não o testimonial. Não era pra aceitar. Passaram a trocar scraps. Ele era um figura popular, tinha criado a comunidade do Pearl Jam. Ela criou "Adoro banho quente", comunidade popular mas não tanto quanto sua rival "Odeio banho gelado". Combinaram de se encontrar em São Paulo. Os dois foram. Beijaram-se assistindo *A era do gelo*. Ou não assistindo. Começaram um namoro à distância. Foram meses difíceis de MSN, até que inventaram o Skype. A vida mudou. Beijavam a tela, dormiam abraçados com ela. Ele fez uma música para ela e postou no YouTube. Ganhou seguidores no Twitter. A caixa postal do Hotmail lotou. Migraram para o Gmail e sua caixa infinita (ou quase). Ela foi pro Rio de Janeiro fazer faculdade. Ele foi atrás. Entraram no Facebook quando ainda não tinha quase ninguém. A foto de um era a cara do outro. Moravam juntos, dividiam o mesmo computador, compartilhavam os mesmos vídeos. O Gmail e sua estranha mania de não dar logout automaticamente fizeram com que ela lesse toda a correspondência dele. Ele ficou puto com o que ela leu. Ela ficou puta com o que ele tinha escrito. Quase terminaram. Preferiram comprar outro computador. E cada um passou a ter uma senha. Riram muito no 9GAG. Recusaram-se a entrar para o Google Plus. Hoje se falam o dia inteiro pelo WhatsApp. E o Instagram deles está cheio de fotos do bebê.

Calma, Cláudio

JUNHO DE 2014

Calma, Cláudio. Eu te amo do jeito que você é. Só queria que você fosse um pouco mais parecido comigo. Eu sei que você é você e eu sou eu. Mas eu preferia que você fosse um pouco mais eu e menos você. Seria mais fácil pra mim. Já tô acostumada a lidar comigo. Quase não brigo comigo mesma. Quando brigo, esqueço rápido. Eu me perdoo com muita facilidade, Cláudio. Se você fosse eu, eu te perdoaria rapidinho.
 Calma, Cláudio. Eu te amo do jeito que você é. Mas é que você ficou tão igualzinho a mim. E de mim já basta eu. Eu já não tenho paciência pra mim. Vou ter pra você? Eu sei que você também não prestava quando você era aquela outra pessoa tão diferente de mim. O que eu queria é que você fosse um meio--termo entre aquela outra pessoa que você era e eu. Nem oito nem oitenta, Cláudio.
 Calma, Cláudio. É que assim ficou meio meio-termo demais. Eu só queria que você fosse uma pessoa menos meia-terma, uma pessoa menos menas, e fosse uma pessoa mais mais, mais muito, mais muito mais. Eu sei que eu disse nem oito nem oitenta, Cláu-

dio, mas eu estava pensando em oitocentos. Oitocentos e oitenta e oito, Cláudio. Pode ser?

Calma, Cláudio. Assim tá over. Baixa a bola, segura essa onda. Assim parece que cheirou pó. Eu sei que fui eu que mandei você mudar. Mas desse jeito que você tá mudando, dá pra ver que fui eu que mandei você mudar. Queria que você mudasse porque você quis e não porque fui eu que mandei. Eu sei que foi porque você quis mas você só quis porque eu quis que você quisesse. Eu queria que você quisesse ser o que eu queria antes de saber que era assim que eu queria que você fosse. Eu só queria que você fosse uma pessoa que quisesse coisas, Cláudio.

Calma, Cláudio. Estou falando de coisas. Lá foi você querer pessoas. Quem diria, Cláudio. Até você. Correndo atrás de pessoas. Eu sei que eu falei. Mas para de me ouvir. Eu só queria que você fosse uma pessoa que não se importasse tanto em ser a pessoa que eu queria que você fosse. É difícil gostar de uma pessoa que quer tanto ser a pessoa que você gostaria que ela fosse, Cláudio. Calma, Cláudio. Não deixa de se importar comigo assim. Eu só queria que você não deixasse de gostar de mim só porque descobriu que eu não gostava de você do jeito que você era e continuasse gostando igual você gostava antes. O problema é que agora eu comecei a gostar tanto de você, Cláudio. Assim mesmo, do jeito que você é. Volta, Cláudio.

Me dá só cinco segundos que eu faço você voltar pra mim

ABRIL DE 2014

É um beijo e pronto, voltou. Quer dizer, me dá logo dez segundos, que eu também quero pedir desculpas por tudo. E dizer que eu te amo. Quanto deu? Doze segundos? Então vamos fechar logo em vinte segundos, que eu aproveito e digo também que tô arrependida. E explico por que é que tudo aconteceu do jeito que aconteceu. A gente pode fechar em um minuto, logo, que essa explicação vai demorar. Você me daria um minuto? Um minuto não é nada, Jorge. Passa num instante. Se bem que depois dessa explicação era bom te dar outro beijo. Pra te lembrar de como era bom. E te dizer que até agora só eu pedi desculpas e você não falou nada. Não vai dizer nada? E aí você ia dizer que me ama. E que era a sua vez de pedir desculpas. E você ia me explicar por que é que tudo aconteceu do jeito que aconteceu. E eu ia te perdoar, Jorge. E a gente ia ser feliz pra sempre. Meia horinha, Jorge. É tudo o que eu preciso. Só ficou faltando explicar uma coisa rápida. Que você tinha que me aceitar do jeito que eu era. E você ia topar. Mas isso ia demorar um tempo. Por isso é que eu preciso de uma semaninha, Jorge. Me dá uma semaninha que eu faço você voltar pra mim.

Vozinha

ABRIL DE 2013

Um casal na cama. A palavra "vozinha", aqui, é diminutivo de voz, e não de avó. Refere-se ao falar fofo dos namorados. Quando o texto está em itálico, isso significa que estão fazendo "vozinha". A não ser nas rubricas, é claro.

ELE Boa noite, *amorzinho da minha vida inteira.*
ELA Ronaldo, o que é que é isso?
ELE Isso o quê?
ELA Essa vozinha. *Amorzinho da minha vida...*
ELE O que é que tem.
ELA A gente tá no começo do namoro.
ELE Tá cedo pra fazer vozinha?
ELA Eu acho.
ELE Mas em algum momento ia surgir uma vozinha.
ELA O problema é que foi meio brusco. A vozinha tem que vir surgindo. Primeiro numa sílaba. Depois uma palavra. Só depois é que você pode começar a formar frases. Senão parece que você tá reciclando uma vozinha de um relacionamento anterior.
ELE Não entendi.

ELA Essa vozinha, *amorzinho da minha vida inteira*, vai dizer que você nunca usou com outra namorada?
ELE É que, pra mim, vozinha a pessoa só tem uma.
ELA Não. A vozinha é uma criação coletiva do casal. Não dá pra reutilizar. É uma espécie de crime reutilizar vozinha. Cada casal tem sua própria vozinha única e exclusiva.
ELE E quando termina a relação, a vozinha...?
ELA A vozinha morre junto.
ELE Então *quer dizer que*...
ELA Morreu. Esse personagem acabou. É tipo novela. Acabou a novela, o personagem acaba junto. A não ser que você volte com sua ex. Aí a vozinha volta, tipo um Vale a pena ver de novo.
ELE Não é minha intenção.
ELA Então eu acho melhor a gente criar uma vozinha nova.
ELE *O que é que você acha de*...
ELA Acho essa coisa de ir pro agudo muito batido.
ELE *De repente então uma região mais grave*...
ELA Acho bom. *E se a gente jogar um pouco pra trás o timbre.*
ELE *Acho que a gente tá achando uma região interessante.*
ELA *Mas tem que ser fofo. Vamo botar fofura aí.*
ELE *É difícil botar fofura sem ir pro agudo.*
ELA *Acho que a fofura pode estar no olhar.*
ELE *Que tal agora?*
ELA Tá meio psicopata.
ELE Desisto. Eu acho que eu sou um cara de uma vozinha só.
Ele se levanta da cama e se veste.
ELA Tá indo aonde?
ELE Embora.
ELA Sério?
ELE Acho que vai ter que rolar um Vale a pena ver de novo.

Assunto urgente

FEVEREIRO DE 2014

Carlos,

Não sei se você pegou o WhatsApp que eu te mandei, avisando que eu tinha te mandado uma mensagem via SMS. A mensagem era referente ao e-mail que eu te enviei pedindo desculpa pela quantidade de recados que eu deixei na sua caixa postal, onde li em voz alta as mensagens que eu te mandei por inbox. Eu sei que exagerei na quantidade de inboxes, mas às vezes as mensagens vão parar na caixa Outros, sobretudo depois que a pessoa te bloqueou. Comentei no seu Instagram que tinha tentado te mandar uma DM no Twitter, mas não tinha conseguido porque você não me seguia. Na DM te perguntava se você ainda usa Orkut. Lá te mandei um monte de testimonials (não é pra aceitar, é só pra ler), perguntando seu novo endereço, porque as cartas que te mando têm voltado, assim como os telegramas. Pensei em te mandar um fax, mas logo lembrei que queimei o meu fax na fogueira que fiz pra te mandar sinais de fumaça, que causou um incêndio no prédio, que resultou na minha expulsão, que acabou me trazendo pra casa em que estou hoje. Me mudei e custei a perceber que você talvez estivesse escrevendo para o meu endereço antigo. Pensei em passar no meu antigo prédio pra checar se não havia cartas suas por lá, mas lembrei que não sou benquista no bairro, depois do incêndio. Pensei em passar no seu prédio, mas tampouco sou benquista por aí, por causa da maldita ordem de restrição. Por isso comprei um pombo, que passei um tempo tentando adestrar para buscar as cartas que você tem escrito pra mim. Amarrei uma mensagem no pé dele e mostrei o caminho da sua casa no mapa do iPhone. Atirei o bicho pela janela, mas ele nunca voltou. Pensei que ele talvez tivesse sido apreendido pela polícia. Reli a ordem de restrição, mas ela não faz menção ao envio de animais-de-correio. Concluí, então, que a culpa é da Apple, que definitivamente não sabe fazer mapas. Se por acaso vir um pombo pardo, perdidinho, com uma longa carta na pata esquerda, é o meu. Um conselho: quando for mandá-lo de volta, não use o mapa da Apple, use o Google Maps. Hoje estou morando em um lugar agradabilíssimo, mas que insiste em me privar de caneta e papel, assim como das minhas mãos, que no momento estão presas em uma linda camisa branca de mangas longas (demais). Por isso te mando esta mensagem telepática, que peço que responda telepaticamente, pois de outro modo talvez não chegue até mim. Sempre sua, Carmem

Terapia de casal

NOVEMBRO DE 2013

Consultório de um terapeuta. Ele e ela estão sentados no divã.
TERAPEUTA Acho que o primeiro passo é a gente tentar entender o que causou essa briga. Vocês lembram como começou o estranhamento?
ELA Acho que tudo começou quando ele falou que queria o divórcio.
TERAPEUTA Você falou que queria o divórcio?
ELE Falei. Mas antes ela me deu um soco na cara.
TERAPEUTA Você deu um soco na cara dele?
ELA Dei. Mas antes ele falou que eu estava acima do peso.
TERAPEUTA Você falou...
ELE Falei. Mas antes ela me chamou de brocha.
ELA Mas antes ele tinha brochado.
ELE Mas antes a gente estava prestes a transar e ela disse que eu era um desempregado medíocre que tinha bafo de cigarro e gengivite.
O terapeuta tenta intervir, mas eles encavalam as respostas.
ELA Mas antes a gente tava prestes a transar e ele me pediu pra xingar ele.

ELE Mas antes a gente não transava há três meses e eu achei que um palavrão podia dar uma apimentada e não esperava que ela trouxesse à tona minha gengivite.

ELA Mas antes ele perdeu o emprego e passava o dia em casa de cueca jogando video game e fumando maconha (o que provavelmente gerou a gengivite).

ELE Mas antes foi ela que sugeriu que eu comprasse GTA 5 e disse "quem sabe assim a sua vida vai ganhar algum sentido".

ELA Mas antes ele tava na janela dizendo que ia se jogar porque a vida dele não fazia sentido.

ELE Mas antes eu descobri que ela deu pro meu melhor amigo.

ELA Mas antes eu quis me vingar porque ele matou o meu cachorro.

ELE Mas antes o seu cachorro mordeu minha perna, que gangrenou e eu tive que amputar.

Vemos que ele não tem uma perna.

ELA Mas antes você estava apontando uma arma pra mim e o cachorro só me defendeu.

ELE Mas antes você estava ameaçando divulgar um vídeo que acabaria com a honra da minha família.

ELA Mas antes eu resolvi que era hora do Brasil saber que o pai dele estava envolvido num esquema internacional de corrupção e agiotagem.

ELE Mas antes ela só começou a me namorar pra acabar com a minha vida e se vingar da minha família.

ELA Mas antes o pai dele que é agiota emprestou dinheiro pro meu pai a juros altíssimos de maneira que ele não conseguiu pagar, foi ameaçado de morte e acabou se matando na frente da filha dele de três anos — eu.

ELE Mas antes o povo alemão do qual ela descende encarcerou e assassinou o meu povo em um genocídio chamado holocausto.

ELA Mas antes o povo alemão tinha sido humilhado pela redefinição arbitrária das fronteiras no Tratado de Versalhes.

ELE Mas antes o mesmo povo alemão tinha iniciado um ciclo de ódio com a guerra franco-prussiana em 1870.

ELA Mas antes o ciclo de ódio já tinha se iniciado quando Napoleão invadiu a Prússia em 1806.

ELE Mas antes o Sacro-império romano-germânico já se caracterizava pelo antissemitismo e pelo ódio às minorias.

ELA Mas antes os povos germânicos foram chamados de bárbaros e subjugados pelos romanos.

ELE Mas antes Deus disse "haja luz"; e houve luz.

ELA Mas antes o espírito de Deus pairava sobre as águas.

ELE Mas antes eu lembro que a gente foi feliz.

ELA Foi.

ELE Isso antes.

ELA Muito antes.

Meus pais

ABRIL DE 2014

O amor dos meus pais era poderoso — para mim, pelo menos, que era uma criança muito medrosa. Tinha medo de médico, de palhaço, de qualquer pessoa com muita maquiagem — Bozo, Vovó Mafalda, Hebe. Quando meus pais se abraçavam, eu me aconchegava entre suas pernas e ia para longe de todos os perigos do mundo, de toda essa gente maquiada demais.

Gostava de viajar com eles, quando eles faziam shows pelo Brasil. Sentava na primeira fila e berrava de orgulho no final. Queria saber assobiar com os dedos, só pra fazer mais barulho. Sabia o show de cor, especialmente uma parte em que eles contavam como tinham se conhecido.

Meu pai morava na Rua Rumania, em Laranjeiras, quando minha mãe se mudou pra casinha da frente. Meu pai estudava sax. Minha mãe estudava canto. Começaram a fazer duetos — sem nunca terem se visto. Um dia, meu pai tomou coragem e atravessou a rua. Bateu na porta dela e por lá ficou. Tiveram três filhos. Gravaram dois discos. Construíram outra casa pra caberem os filhos e os discos.

Fomos muito felizes ali. Minha mãe dava festas e jantares e saraus que enchiam a casa de música e alegria. Meu pai fez um estúdio no porão onde minha irmã e eu podíamos dormir no carpete, ouvindo ele compor. A piscina de dez metros quadrados tinha as dimensões do oceano Atlântico. Criamos no jardim muitos cachorros, alguns gatos, uma cabra, uma figueira, um limoeiro e um manacá muito cheiroso.

Um dia, estava dormindo e acordei com um quebra-quebra. Subi até a cozinha achando que era assalto. Os dois choravam, envergonhados. Foi a primeira vez que eu vi eles brigando. Meu pai desceu comigo e dormiu na minha cama. No meio da noite, acho que ouvi ele chorar.

Não demorou pra que meu pai saísse de casa. Separados, tentaram ser amigos por muito tempo, e foram. Até que começaram a brigar pela casa que construíram juntos — quem construiu mais, quem construiu menos. Não sei quem está certo. Mas aprendi que as brigas de casal pertencem ao universo quântico. Duas pessoas falando coisas opostas podem estar igualmente certas — e frequentemente estão. Tudo o que eu queria era poder guardá-los no palco, tocando juntos — infalíveis.

CRUZADA ELUCIDATIVA A FAVOR
DA FAMÍLIA BRASILEIRA

História real

OUTUBRO DE 2013

A primeira vez que eu fumei maconha foi no aterro do Flamengo, depois de uma pelada. Éramos quatro pernas de pau do liceu francês. Perdemos de muito a zero. Sentamos debaixo de uma árvore e o Marcio apertou (mal) um baseado pra atenuar a derrota. "Tomamos um esculacho." O esculacho maior estava por vir. O beque mal apertado ainda não tinha dado uma volta completa quando brotaram, do nada, dois PMs trincados: "Cadê o flagrante?". O flagrante, a essas alturas, estava longe. Bruno tinha isolado o beque pro mato. O PM bom disse que se a gente não achasse o tal flagrante eles levariam a gente para Bangu 2, onde "bandidos comeriam o nosso cu". Argumentei, me sentindo Mel Gibson em *Coração Valente*, que, se eles não achassem o flagrante, não haveria prisão, porque só pode haver prisão com flagrante. E que nós éramos menores de idade e não iríamos pra Bangu.
  Mas esta última frase eu não cheguei a dizer, porque o PM mau me deu um soco no peito e eu fui parar no chão. Se eu fosse Mel Gibson, teria revidado. Se eu fosse Mel Gibson, eu

estava morto. A sorte é que eu não sou Mel Gibson e a garganta apertou. Comecei a chorar. Bruno, Marcio e Antonio, que tampouco eram Mel Gibson, começaram a procurar o flagrante no chão, de quatro. Acharam. Pronto, não tinha mais o que fazer. Ou melhor: tinha. Esvaziamos nossas carteiras, que, juntas, deram dez reais. Naquela época, o ônibus custava noventa centavos. Achamos dez reais, era uma fortuna. O PM mau não achou. Marcio disse que morava ali perto.

Eles ficaram com a nossa carteira de identidade, pra gente não sumir ("Retenção de documentos não é crime?", teria dito Mel Gibson). A mãe do Marcio estava vendo TV na sala da casa dele. Atravessamos cabisbaixos. "Boa noite, mãe." Saímos do quarto dele com uma mochila pesada, e dentro dela tudo o que o Marcio tinha de mais valioso na vida: uma nota de cinquenta reais, um PlayStation velho, meia dúzia de jogos de PlayStation, um videocassete, algumas fitas de VHS, os controles do PlayStation. "A gente já volta, mãe." Deixamos a mochila na viatura, com muita dor e vergonha. No dia seguinte, rachamos o prejuízo: uns duzentos reais pra cada um. E uma raiva que eu iria levar pra vida.

Tribunal

MAIO DE 2014

Um tribunal, com o Juiz no meio e o réu à direita, como nos filmes.
JUIZ Vamos agora às considerações finais do advogado de defesa.
ADVOGADO Meritíssimo, as provas realmente estão contra mim. Meu cliente estava no local do crime? Estava. As digitais do meu cliente estavam na arma do crime? Estavam. Agora, por favor, senhor Juiz, eu preciso que o senhor responda: entre o promotor e o meu cliente, quem é mais gatinho?
JUIZ Não entendi a pergunta.
ADVOGADO Qual dos dois é o mais gatinho, meritíssimo?
JUIZ Acho que o seu cliente.
ADVOGADO E o mais gostosinho?
JUIZ Olha, eu não sei se estou apto a responder.
ADVOGADO Sinceramente, senhor Juiz. Pode falar.
JUIZ Não consigo ver, tem muita roupa.
ADVOGADO Tira o terno, Giovani. (*Ele tira.*) Tá gostosinho ou não tá?

JUIZ Acredito que sim.
ADVOGADO Isso ninguém fala. O promotor falou, falou e não atentou pra isso. Enquanto isso ninguém reparou que o promotor em questão tá ficando careca, com uma barriga indecente pra idade dele. Não seria mais fácil malhar, senhor promotor, em vez de atacar um criminoso somente porque tem inveja do seu abdômen rasgadinho? Enquanto o senhor passa as tardes no Belmonte comendo empada, meu cliente tá na Body Tech suando o buço. E isso ninguém fala.
PROMOTOR Objeção!
JUIZ Objeção concedida.
PROMOTOR O advogado está fazendo uma defesa totalmente parcial e absurda. Eu estou acima do peso, sim. Mas isso não tem nada a ver com empada. É tireoide, senhor Juiz. Tive que tomar cortisona pra conter, o que só piorou tudo. Engordei treze quilos em um mês. Tô começando a fazer spinning. Faz anos que eu não passo nem na frente do Belmonte, meritíssimo. Minha esposa tá de prova. Por favor, leve isso em consideração.
JUIZ Pode prosseguir com a defesa.
ADVOGADO Vocês querem mesmo mandar isso aqui pra prisão, meus amigos? Vocês querem mesmo botar essa carne de primeira no bandejão popular? Isso é um desperdício de homem, minha gente. Vamos parar de apontar dedos, falar quem matou, quem não matou e prestar atenção no essencial: tá bonito. Tá gatinho. Tá sequinho. Tá com quantos por cento de gordura, Giovani? (*Giovani faz seis com as mãos.*) Seis pontos, meritíssimo. Isso é patrimônio público, pessoal. Agora: Matou gente? Matou. Não tem por que mentir. O que é que faz, então? Isso a constituição não prevê. Cabe ao senhor, meritíssimo, botar na balança. Agora lembra que ele tem queixinho dividido, mamilo depilado e faz muita, mas muita gente feliz. Gente casada que leva uma vida cinza, e cujo único ponto alegre do dia é quando escapa da

firma na hora do almoço e vai encontrar com ele numa quitinete na Avenida Passos 57 esquina com a Buenos Aires ali em cima do McDonald's. O senhor faça o que a sua consciência mandar, meritíssimo.

JUIZ O réu está absolvido da acusação de assassinato por falta de provas contundentes.

PROMOTOR Objeção.

JUIZ Negada. Senhor advogado, o senhor disse Avenida Passos número?

ADVOGADO 57.

JUIZ Obrigado.

A coluna inútil daquele maconheiro

OUTUBRO DE 2013

Como vocês sabem, os jovens (e o FHC) estão querendo legalizar a erva. Eu, que nunca fumei nem pretendo fumar, mas sei que ela é danosa, pois só quem fuma é marginal, venho por meio desta carta pedir que o jornal explique ao leitor jovem (e para o FHC) por que ela não pode ser legalizada. Para ajudá-los, recolhi alguns argumentos entre meus amigos do clube.

1. Se legalizar, vai virar moda. Nos países em que a ditadura gay venceu e as feministas legalizaram o aborto, as pessoas passaram a abortar só para se enturmar. Resultado: os países foram dizimados e hoje em dia nem existem mais.

2. Se legalizar, os jovens que atualmente trabalham no ramo do tráfico de drogas vão ficar desempregados. As ruas vão ser tomadas por jovens roubando, matando e estuprando para sobreviver.

3. A maconha impede o jovem de ser violento quando ele precisa ser. Enquanto a cocaína o torna mais ativo, a maconha

o deixa leso, presa fácil para assaltos e estupros. A legalização da maconha vai gerar uma juventude muito facilmente estuprável.

4. Maconha é crime. Como é proibida, é através dela que os jovens entram no mundo do crime. Se ela for legalizada, não será mais crime. Mas é crime, por isso não pode ser legalizada.

5. Maconha é uma droga tradicionalmente cultivada por negros. Foi só os Estados Unidos terem um presidente mulato para afrouxarem em relação à erva. Liberar a maconha equivale a oficializar que vivemos numa negrocracia, não bastasse o pagode, o funk e aquele programa da Regina Casé.

6. Maconha gera a famosa "larica", fenômeno que faz com que o jovem coma qualquer coisa, comestível ou não, que ele veja à sua frente. E o que é que isso gera? Obesidade, indigestão e morte por engasgamento.

7. A qualidade da maconha vai melhorar e vão começar a surgir sommeliers de beque, pessoas que vão achar na erva os sabores mais insuspeitos. "Esse baseado tem notas de pistache." "A melhor parte do soltinho da Bahia é o retrogosto." Não, por favor. Já bastam os enochatos. A sociedade não está pronta para o surgimento dos ervochatos.

Peço que a *Folha* me ajude nesta cruzada elucidativa a favor da família brasileira, de preferência publicando a minha carta no lugar da coluna inútil daquele maconheiro.

Leiconha

NOVEMBRO DE 2013

Policiais mandam o carro encostar.
PM Desembarca do veículo, por gentileza.
HOMEM É lei seca?
PM Essa blitz é exclusiva para o uso da maconha, senhor.
HOMEM Eu vou ter que soprar em algum lugar?
PM O teste no caso é psicotécnico. Pessanha, faz a dancinha.
Um segundo PM se aproxima e faz uma dancinha ridícula, levemente envergonhado.
PM O senhor vai estar observando o Cabo Pessanha. Se o senhor rir ou simplesmente sorrir, estará acusando o uso de cannabis.
HOMEM Mas isso não faz o menor sentido...
PM Olha pra ele!
Pessanha faz variações da dança. Homem continua sério.
PM Agora a gente vai estar avaliando sua memória. Responda sem tirar o olho do Pessanha. Qual o nome do compositor de "mexe a cadeira"?
HOMEM Vinny.

PM O ônibus de número 996 faz o trajeto...
HOMEM PUC-Charitas.
PM Quais os integrantes da banda Planet Hemp?
HOMEM Marcelo D2, BNegão...
PM *analisa o homem de forma suspeita. Ele percebe.*
HOMEM E o resto eu não sei.
PM Pensa rápido!
PM *joga os documentos na direção do homem, que consegue segurá-los no ar.*
PM Muito bem.
HOMEM Acabou?
PM Só mais uma coisa: a gente fez um feijão, acabou sobrando. Aí a gente botou num tupperware, junto com goiabada. Quer levar um pouco?
HOMEM Não, obrigado.
PM O senhor passou no teste da maconha, senhor. Ali na frente o senhor vai ser submetido ao teste do crack.
Homem olha para a frente, um homem está abraçado a uma cabra e os PMs tentam separá-los.

A família brasileira

FEVEREIRO DE 2014

MAIO DE 2034

Duas décadas depois do célebre beijo gay de Mateus Solano e Thiago Fragoso em *Amor à vida*, as novelas finalmente deram outro passo significativo. Ontem, pela primeira vez na história da televisão brasileira, um personagem fumou um baseado no horário nobre da Rede Globo. Foi na novela *Paixão pelo pecado*, de João Vicente de Castro. A grande novidade chocou os conservadores. "É a ditadura do baseado", clamou o líder da bancada evangélica. O que mais chocou a opinião pública foi o personagem "maconheiro" não morrer logo depois de fumar maconha. Associações cristãs estão processando a Globo por calúnia e exigem que o personagem morra para dar exemplo. O autor disse que o personagem irá morrer, mas não de maconha.

AGOSTO DE 2057

Mais de vinte anos depois do primeiro baseado, a Rede Globo volta a chocar a opinião pública. Ontem, em *Flerte fugaz*, nova novela das onze, pela primeira vez um personagem fez um aborto e não se arrependeu. Jamilly, interpretada por Leticia Lima, fez um aborto seguro e saiu da clínica com um sorriso no rosto, aparentando estar satisfeita. Gabriel Esteves, autor da trama, afirma que não é sempre que o aborto é sucedido de desespero e vontade de se matar. Leticia Lima se pronunciou contra o "aborto sem arrependimento". "Nunca fiz um aborto, mas, se fizesse, me arrependeria", afirmou em seu Twitter. Conservadores especularam que a cena teria sido financiada por grandes entidades abortivas. O Projac amanheceu pichado com os dizeres "é a ditadura do aborto".

JANEIRO DE 2081
Em sua primeira novela feita exclusivamente para a web, a Rede Globo inovou. Durante uma cena de jovens, um deles pronunciou a palavra "Google". É a primeira vez que a Rede Globo usa o termo, embora ele já esteja dicionarizado desde 2015. Antes do episódio, personagens de novela se referiam ao Google como um "site de busca". Conservadores indignados afirmaram se tratar de um merchandising disfarçado, já que a emissora faz parte do grupo Google. O autor Flavio Moura, último remanescente da velha guarda da emissora, pediu desculpas ao público conservador, mas afirmou se tratar de uma tendência. "A novela é um retrato da vida, e a vida está cheia de marcas." Em seguida, afirmou estar estudando usar as palavras "Facebook" e "YouTube" em vez do costumeiro "redes sociais". Críticos afirmaram se tratar de um lobby das grandes corporações para a dominação mundial. "A família brasileira não está pronta para isso. É a ditadura do Google", afirmou o cardeal em seu Twitter.

É menina

SETEMBRO DE 2013

É menina, que coisa mais fofa, parece com o pai, parece com a mãe, parece um joelho, upa, upa, não chora, isso é choro de fome, isso é choro de sono, isso é choro de chata, choro de menina, igualzinha à mãe, achou, sumiu, achou, não faz pirraça, coitada, tem que deixar chorar, vocês fazem tudo o que ela quer, isso vai crescer mimada, eu queria essa vida pra mim, dormir e mamar, aproveita enquanto ela ainda não engatinha, isso daí quando começa a andar é um inferno, daqui a pouco começa a falar, daí não para mais, ela precisa é de um irmão, foi só falar, olha só quem vai ganhar um irmãozinho, tomara que seja menino pra formar um casal, ela tá até mais quieta depois que ele nasceu, parece que ela cuida dele, esses dois vão ser inseparáveis, ela deve morrer de ciúmes, ele já nasceu falante, menino é outra coisa, desde que ele nasceu parece que ela cresceu, já tá uma menina, quando é que vai pra creche, ela não larga dessa boneca por nada, já podia ser mãe, já sabe escrever o nomezinho, quantos dedos têm aqui, qual é a sua princesa da Disney preferida, quem você prefere, o papai ou a mamãe, quem é o seu namoradinho, quem é o seu príncipe da Disney preferido, já se maquia nessa idade, é apaixonada pelo pai, cadê o Ken, daqui a pouco vira mocinha, eu te peguei no colo, só falta ficar mais alta que eu, finalmente largou a boneca, já tava na hora, agora deve tá pensando besteira, soube que virou mocinha, ganhou corpo, tenho uma dieta boa pra você, a dieta do ovo, a dieta do tipo sanguíneo, a dieta da água gelada, essa barriga só resolve com cinta, que corpão, essa menina é um perigo, vai ter que voltar antes de meia-noite, o seu irmão é diferente, menino é outra coisa, vai pela sombra, não sorri pro porteiro, não sorri pro pedreiro, quem é esse menino, se o seu pai descobrir, ele te mata, esse menino é filho de quem, cuidado que homem não presta, não pode dar confiança, não vai pra casa dele, homem gosta é de mulher difícil, tem que se dar valor, homem é tudo igual, segura esse homem, não fuxica, não mexe nas coisas dele, tem coisa que é melhor a gente não saber, não pergunta demais que ele te abandona, o que os olhos não veem o coração não sente, quando é que vão casar, ele tá te enrolando, morar junto é casar, quando é que vão ter filho, barriga pontuda deve ser menina, é menina,

Xingamento

JANEIRO DE 2014

Puta, piranha, vadia, vagabunda, quenga, rameira, devassa, rapariga, biscate, periguete. Quando um homem odeia uma mulher — e também quando uma mulher odeia uma mulher — a culpa é sempre da devassidão sexual. Outro dia um amigo, revoltado com o aumento do IOF, proferiu: "Brother, essa Dilma é uma piranha". Não sou fã da Dilma. Mas fiquei mal. Brother: a Dilma não é uma piranha. A Dilma tem muitos defeitos. Mas certamente nenhum deles diz respeito à sua intensa vida sexual. Não que eu saiba. E mesmo que ela fosse uma piranha. Isso é defeito? Se ela tivesse dado pra meio Planalto, isso faria dela uma pessoa pior?

Recentemente anunciaram que uma mulher presidiria uma estatal. Todos os comentários da notícia versavam sobre sua aparência: "Essa eu comeria fácil" ou "Até que não é tão baranga assim". O primeiro comentário sobre uma mulher é sempre este: feia. Bonita. Gorda. Gostosa. Comeria. Não comeria. Só que ela não perguntou, em momento nenhum, se alguém queria comê-la. Não era isso que estava em julgamento (ou melhor: não deveria ser). Tinham que ensinar na escola: 1. Nem toda mulher está oferecendo o corpo. 2. As que estão não são pessoas piores. Baranga, tilanga, canhão, dragão, tribufu, jaburu, mocreia. Nenhum dos xingamentos estéticos tem equivalente masculino. Nunca vi alguém dizer que o Lula é feio: "O Lula foi um bom presidente, mas no segundo mandato embarangou". Percebam que ele é gordinho, tem nariz adunco e orelhas de abano. Se fosse mulher, tava frito. Mas é homem. Não nasceu pra ser atraente. Nasceu pra mandar. Ele é xingado. Mas de outras coisas.

Filho da puta, filho de rapariga, corno, chifrudo. Até quando a gente quer bater no homem, é na mulher que a gente bate. A maior ofensa que se pode fazer a um homem não é um ataque a ele, mas à mãe — filho da puta — ou à esposa — corno. Nos dois casos, ele sai ileso: calhou de ser filho ou de casar com uma mulher da vida. Hijo de puta, son of a bitch, fils de pute, Hurensohn. O xingamento mais universal do mundo é o que diz: sua mãe vende o corpo. 1. Não vende. 2. E se vendesse? E a sua, que vende esquemas de pirâmide? Isso não é pior?

Pobres putas. Pobres filhos da puta. Eles não têm nada a ver com isso. Deixem as putas e suas famílias em paz. Deixem as barangas e os veados em paz. Vamos lembrar (ou pelo menos tentar lembrar) de bater na pessoa em questão: crápula, escroto, mau-caráter, babaca, ladrão, pilantra, fascista, corrupto, machista. A mulher nem sempre tem culpa.

O sujeito detestável

JUNHO DE 2014

O sujeito detestável encostou seu enorme jipe de guerra, construído para desbravar dunas e abrir trilhas no mato, na traseira do meu carro e começou a buzinar. Não entendi o que ele queria. O sinal estava fechado.

Ele começou a gritar que eu era uma "bicha velha", e eu fiquei sem entender, porque, além de eu não ser bicha nem velha, adoro bichas e velhas e não entendi por que é que ele odeia bichas e velhas a ponto de achar que isso vai ofender alguém.

Como o "bicha velha" não surtiu o efeito desejado, ele disse que eu estava cometendo uma falta de civilidade. "Do que você está falando?" Ele falou que o espaço que havia entre o meu carro e o carro da frente era enorme. Olhei para a frente. Três metros me separavam de um caminhão. Achei uma distância segura e razoável.

O sujeito detestável berrou que a mãe dele estava doente, gritou que eu era uma "vedete" (sic) que me achava melhor do que os outros, mas eu não consegui entender qual era a relação disso tudo com a distância que eu tomava do carro da frente. Ele saiu do carro dele com a intenção de me bater. O sinal abriu. Acelerei.

Outra vez, há muito tempo, abri a porta do carro sem checar se vinha alguém. Vinha uma moto, em alta velocidade. O motoqueiro desviou da minha porta e caiu no chão, arrastando a perna no asfalto. Se viesse um carro na outra pista, ele teria morrido. Se ele andasse armado, teria me matado.

A moto estava por cima do corpo dele. Só conseguia pensar: "matei alguém". As pessoas começaram a se aglomerar e a tomar partido. "Eu vi! O cara abriu a porta do carro sem olhar pra trás." O júri popular já estava me condenando por homicídio culposo quando a vítima se levantou do chão com a roupa toda rasgada e disse: "Calma, gente". "Você tá bem?", perguntei. "Tô andando, tô no lucro", ele disse.

Dei meu telefone para reparar os estragos. Ele me ligou na semana seguinte para dizer que eu não precisaria pagar nada, porque ele não iria consertar a moto. "Foi só um arranhãozinho." "E suas roupas?", perguntei. Ele respondeu que já eram velhas mesmo. Fiquei esperando o esporro que eu merecia levar. Nada.

Tem vezes que a vida te dá um vale-esporro. Um acidente em que você não tem culpa. Um serviço mal prestado. A doença da sua mãe. O.k., você pode ser detestável. Mas o direito de ser detestável não te obriga a sê-lo. Abrir mão do direito de ser detestável: nada mais adorável.

Crianças

JULHO DE 2014

DIRETOR Eu chamei vocês aqui pra falar do Paulinho.
MÃE Fofo.
DIRETOR Ele tá com sérios problemas de aprendizado.
MÃE Deve ser o Déficit de Atenção.
DIRETOR Ele tem DDA?
MÃE Muito. Mas a gente já tá medicando.
PAI Eu não sei se você sabe, mas Einstein tinha DDA.
DIRETOR Mas o problema vai muito além do DDA.
MÃE Ele tá hiperativo?
DIRETOR Bastante.
PAI É a Ritalina.
DIRETOR Ele também toma Ritalina?
MÃE Por causa do DDA.
PAI Não sei se você sabe, mas Steve Jobs tomava Ritalina.
MÃE Deve ser bom porque torna ele bastante participativo.
DIRETOR No recreio. Nas aulas ele costuma dormir.
MÃE Aí é o Rivotril.
PAI Que a gente dá pra rebater a Ritalina.

DIRETOR Ele tá muito agressivo.
MÃE Quer ver ele ficar calminho? Diz que ele vai ficar sem Frontal. Tiro e queda. Fica uma flor.
PAI Tem que saber jogar o jogo dele.
DIRETOR Vocês não estão entendendo. O Paulinho lidera uma gangue que extorque outras crianças em troca de proteção.
MÃE Bom, como você mesmo disse, ele "lidera" uma gangue. Eu vejo claramente que existe aí um talento pra liderança que vocês estão desprezando.
PAI Eu não sei se você sabe mas Picasso, quando criança, liderava uma gangue de extorsão.
MÃE Até que ponto não são os professores que não sabem lidar com a criançada de hoje em dia? Que sabe mais que eles?
DIRETOR Neste exato momento, ele tem duas crianças de refém e disse que só vai soltar se a gente conseguir um helicóptero e vinte mil reais.
MÃE Isso é a cocaína.
DIRETOR Vocês dão cocaína pra ele?
PAI Ele rouba da mãe.
MÃE Eu uso pra rebater o Rivotril.
PAI Eu não sei se você sabe, mas Freud usava cocaína.

É menino

SETEMBRO DE 2013

É menino, a cara do pai, a cara da mãe, esse menino vai ser safado, só quer saber das meninas, só brinca com as meninas, nem parece menino, mas é menino, tem pipi de menino, tem que botar ele no futebol, não é possível que ele odeie futebol, todo menino gosta de futebol, ele ainda vai descobrir que gosta, tem que levar ele pro estádio, ele tem é que passar mais tempo com o pai, isso é falta de pai, ele tem é que sair da aba da mãe, ele tem é que ir pra uma escola só de meninos, isso é falta de porrada, é impressão minha ou desde que ele entrou na escola de meninos ele tá ainda mais menina, acho que ele passa tempo demais com meninos, daí só quer saber de meninos, deve ser isso, é falta de carinho, é falta de mulher, acho que ele tem que passar mais tempo com as meninas, ele tem é que se apaixonar por uma menina, ele acha que gosta de meninos porque ainda não encontrou a menina certa, se ele só se dá bem com meninas deve ser porque gosta tanto de meninas que não consegue sair de perto delas, já saquei qual é a dele, é muito esperto, finge que é menina pra se aproveitar delas, esses são os piores, também não precisava se vestir de menina, acho que ele tá exagerando, coitado dos pais dele, o que é que eu vou falar pros seus avós, acho que o seu avô se mata, pena que ainda não dá pra mandar pro Exército, tem que botar no escoteiro que dali ele vai direto pro Exército, acho que nem escoteiro vai querer saber dele vestido desse jeito, não acredito que ele quer mudar de nome, isso tem que resolver na terapia, deve ter sido abusado na infância, tá querendo agredir os pais, espera que essa moda passa, hoje em dia a pessoa é obrigada a ser bicha, parece que tem um revólver na cabeça da criançada, é a ditadura gay, tá demorando a passar essa moda, cresceu peito nele ou isso é uma meia, onde foi que os pais erraram, a culpa é da televisão, a culpa é da escola, a culpa é de algum tio que deve ter abusado dele, e não é que ele dá uma mulher bonita, nem parece homem, já mandei meu marido sair de perto dele, desculpa, eu me recuso a chamar ele de ela, eu vi ele crescer, ele tem um negócio debaixo da saia, ele é menino, ele sempre vai ser menino, essas coisas a gente não muda, essas coisas a gente não muda, essas coisas não mudam a gente, essas coisas a gente é, a gente é o que a gente for, é menina.

Orgulho hétero

ABRIL DE 2014

Caro Gregorio-mais-velho,
quem te escreve deste endereço do Zipmail é o Gregorio de treze anos de idade. Quero muito ser você quando eu crescer, rsrsrs. Falando serião: não queria que você se transformasse numa pessoa careta. Hoje em dia ninguém tem coragem de fazer piada na cara. Qualquer coisa que você diga as pessoas acham que é preconceito. Queria que você botasse o dedo na ferida e falasse umas verdades que ninguém tem coragem de dizer. Tô escrevendo um texto bom, que diz assim: todo o mundo pertence a uma minoria. A pessoa ou é negra ou parda ou deficiente ou gay ou mulher ou tudo junto (se for tudo junto é o Michael Jackson, hahaha). Eu, que sou homem, branco, heterossexual, ateu, acabo fazendo parte de uma minoria ínfima. Por que é que não fazemos o dia nacional da consciência branca? Ou a passeata do orgulho hétero, rsrsrs? Por que toda feminista é feia, rsrsrs? Bom, você já tem material para um stand-up! Quero a minha parte em dinheiro! rsrsrs.

Caro Gregorio-mais-novo,
eu virei aquilo que você mais odeia. Isso é uma sorte. Mas é, também, uma falta de sorte (nisso a gente se parece: eu também não falo a palavra azar. Merda). Você confunde o mundo com as pessoas ao seu redor: artistas, feministas, humanistas, ativistas. Você acha que ser contra essas pessoas é ser contra a corrente. Más notícias (você talvez ache que são boas). O mundo, assim como você, é machista, racista e homofóbico. Não cabe aqui inserir números e gráficos que provam isso. E eu não quero encher sua caixa do Zipmail, que lota tão rapidinho. Mas é bom explicar uma coisa: minoria é um conceito político, e não demográfico. O Senado tem 81 senadores dos quais apenas um se declara negro ou pardo. Nenhum deles se declara gay. Gays são espancados todo dia por serem gays. Você acha que inventou o "Orgulho branco", mas esse era o slogan da Ku Klux Klan. Suas piadas são mais velhas que o mundo. Ouve o Millôr, de quem você gosta tanto: "Uma coisa é ser o rei dos palhaços, outra é ser o palhaço dos reis". Quanto às mulheres: você reclama que elas não gostam de você, mas parece que você não gosta delas. Lê um pouco sobre feminismo antes de odiar o feminismo. Ah, e para de usar onomatopeias de risada.

Parei tudo

JULHO DE 2014

Fátima está rezando ao pé da cama. Sua casa é cheia de santos e ícones religiosos.
FÁTIMA Pai nosso que estais no céu...
Surge Deus.
DEUS Fala.
FÁTIMA Deus?
DEUS Sim, parei de cuidar da fome na África pra vir até aqui. Então é bom ser importante.
FÁTIMA É o senhor mesmo?
DEUS Você não tá me chamando há trinta anos? Aí acha estranho que eu apareça? Parece que não acredita em mim.
FÁTIMA Mas eu...
DEUS Eu só vou pedir pra ser breve que a cada sílaba que você fala morre uma criança.
FÁTIMA É que faz muito tempo que eu...
DEUS Onze.
FÁTIMA O quê?
DEUS Crianças já morreram porque eu estou aqui.

FÁTIMA Eu quero que o Walter largue a Mirella.
Pausa.
DEUS Ai meu caralho.
FÁTIMA O que foi?
DEUS Isso você tem que pedir pro Walter, filha.
FÁTIMA Eu ligo e ele não me atende mais.
DEUS Sim, já que o Walter não te atende você apelou pra mim, que não tenho mais porra nenhuma pra fazer. O Walter não te atende porque ele não te quer.
FÁTIMA Você pode fazer ele querer.
DEUS Você quer que eu faça pessoas fazerem coisas que elas não querem fazer porque você quer que elas façam?
FÁTIMA Isso.
DEUS Foi pra isso que você matou trinta e duas crianças até o momento?
FÁTIMA Eu sou apaixonada pelo Walter.
DEUS A esposa dele também é.
FÁTIMA Mas a Mirella não merece ele.
DEUS Por quê?
FÁTIMA Porque ela não ama você.
DEUS Mas que porra eu tenho a ver com isso?
FÁTIMA A pessoa tem que amar você acima de todas as coisas.
DEUS Por favor, me tira desse ménage.
FÁTIMA Você não vai punir a Mirella? Ela não gosta de você.
DEUS Melhor assim que ela não enche o meu saco. No momento estou ocupado com aids, palestina, terremoto, alagamento, genocídio. Eu tenho prioridades, porra.
FÁTIMA Mas e o Walter?
DEUS Quer segurar o Walter? Dá uma chave de buceta. Tenho que ir, a África me espera.
FÁTIMA Obrigada.
DEUS Ah, e fala pro seu filho que eu não posso fazer porra nenhuma pelo Botafogo.

Péssimo mau gosto

JANEIRO DE 2014

Caro Cardeal arcebispo,

Vossa Eminência disse em vosso Twitter que o especial de Natal do Porta dos Fundos era de "péssimo mau gosto". Poderia dizer que V. Ema. cometeu um pleonasmo, pois na palavra "péssimo" já está incluída a palavra "mau", mas vou supor que V. Ema. tenha "redundado" propositalmente, para fins estilísticos. Entristece-me, pois gostaria que o nosso especial de Natal tivesse agradado a todos (especialmente ao homenageado em questão).

O que me consola é que não somos os primeiros a ter o gosto julgado mau ou péssimo ou ambas as coisas pela vossa Igreja. Na realidade, arrisco-me a dizer que estamos em boa (e vasta) companhia. Entre os numerosos condenados, está um astrônomo de nome tão redundante quanto a vossa expressão.

Como V. Ema. deve saber, não foi a teoria heliocêntrica que causou a condenação de Galileu Galilei. Copérnico já havia dito que a Terra girava em torno do Sol e a Igreja não se importou. O que provocou a ira papal foi o humor. Para defender o heliocentrismo, Galileu criou um diálogo fictício entre um personagem sábio, Salviati, e um personagem imbecil, Simplício. O sábio acreditava que a Terra girava ao redor do Sol e o imbecil achava o contrário. O livro foi um sucesso retumbante. E a Igreja vestiu a carapuça do imbecil. Galileu foi obrigado a negar tudo o que havia dito para escapar à fogueira. Negou, mas ainda assim foi condenado à prisão perpétua. (Giordano Bruno, contemporâneo de Galileu, acreditava que o universo era infinito. Negou-se a se negar. Foi queimado vivo.)

Somente em 1983, quase quatro séculos depois, o Vaticano absolveu Galileu, provando ter um sistema judiciário ainda mais lento que o brasileiro. Apesar da retratação tardia, o gosto episcopal continua controverso. Acho de péssimo mau gosto, por exemplo, V. Ema. ser contrário ao sacerdócio de mulheres, ao uso de métodos contraceptivos, ao aborto de fetos anencéfalos, ao aborto em casos de estupro, ao amor entre pessoas do mesmo sexo, à eutanásia e às pesquisas com célula-tronco.

Contudo, confesso que, apesar de nossas divergências, não pude deixar de ficar feliz em saber que a arquidiocese está assistindo ao Porta dos Fundos. Peço que V. Ema., futuramente, não pule aqueles anúncios que antecedem o vídeo, para que nós ganhemos um cascalhinho. Obrigado pela atenção e, como diria Jesus Cristo, desculpe qualquer coisa.

Pão nosso

JULHO DE 2014

Típica padaria. Fiscal da Receita entra, acompanhado de dois policiais.
FISCAL Quem é o dono do estabelecimento?
DONO Sou eu mesmo, senhor.
FISCAL Eu sou fiscal da receita e percebi que a padaria do senhor já existe há dez anos e nunca pagou nenhum imposto. Infelizmente a gente vai ter que fechar isto aqui até que o senhor pague a quantia de um milhão e trezentos mil reais relativos a...
DONO Desculpa, acho que aconteceu algum engano.
FISCAL Que engano?
DONO Isso aqui não é uma padaria, é uma igreja.
FISCAL Como?
DONO Pode olhar aí a nossa razão social: Igreja Universal do Pão Em Cristo. Ia chamar de Pãotecostal, mas achei meio forçado.
FISCAL Mas vocês fazem pão, vocês cobram pelo pão, isso é uma padaria.
DONO A gente não cobrou um centavo por nada, senhor.

FISCAL Ali não tem o preço de cada unidade?

DONO O que a gente faz é que a gente aceita doações e oferece um brinde proporcional à doação. Doou dois reais e trinta centavos? Ganhou um quibe abençoado. Doou quatro e cinquenta? Ganhou uma ciabata cristã com direito a sagrado refresco. Doou doze e cinquenta? Almoço episcopal.

CLIENTE Amigo, qual é o prato hoje?

DONO É frango benzido.

CLIENTE Vê um, por favor.

O dono pega o frango e faz uma cerimônia de batismo. Joga uns temperos, sal.

DONO Jesus Cristo, esse é o vosso corpo, esse é o vosso sangue. Pelo mistério do frango, esse é o Corpo de Cristo.

CLIENTE O Corpo de Cristo.

DONO Não, você só fala Amém.

CLIENTE Amém.

O cliente vai embora, levando o frango.

FISCAL Você acabou de benzer um frango?

DONO Que deixou de ser um frango quando foi abençoado e passou a carregar simbolicamente o corpo de cristo que morreu pelos nossos pecados.

FISCAL Você vai me desculpar mas essa religião não existe e ninguém vai me convencer de que um frango pode ser sagrado.

DONO Mas um pedaço de papel pode? Uma santa de madeira toda carcomida de cupim? Um elefante que na verdade é uma mulher e tem seis braços?

FISCAL A diferença é que a sua religião é uma palhaçada que o senhor inventou pra não pagar imposto.

DONO O senhor é que está escarnecendo do meu objeto de culto e isso caracteriza intolerância religiosa, pode pegar de três a cinco anos de cadeia.

Os policiais sacam as algemas.
FISCAL Melhor deixar pra lá. Me vê uma esfiha cristã.
DONO Três e trinta.

A religião dos outros

SETEMBRO DE 2013

Sério, gente, vocês têm que parar de rir da religião dos outros. A fé das pessoas é uma coisa sagrada. Não, macumba é diferente. Vocês têm que fazer um vídeo sobre macumba. Macumba não é religião, macumba é magia negra. Macumba, umbanda, candomblé, vudu, tudo a mesma coisa de preto velho. Misifi põe uma galinha preta na encruzilhada que eu trago a pessoa amada em três dias. Por favor, faz um vídeo sobre isso. Desculpa, gente, mas é que macumba é muito engraçado. Espiritismo também é uma piada pronta. Sabe o que vocês podem dizer? Que quem conversa com gente morta é esquizofrênico e tem que ser internado. Budismo não é religião, é moda. Tem seis gatos pingados no Tibete e o resto é tudo socialite e ator em início de carreira. Fora que aqueles monges são muito gordos pra quem é vegetariano. Aposto que quando ninguém tá olhando eles comem uma bela de uma picanha. Mas pelo menos eles não pintam a cara igual hare krishna. Aquilo não é religião, aquilo é pretexto pra não tomar banho.

Vocês não entenderam: quando eu digo religião, eu tô falando das religiões sérias.

Não, islamismo já é sério demais. Aí tem que zoar. Aquelas mulheres de burca parecem um apicultor. E os terroristas que acham que vão se encontrar com trinta virgens? Isso dava um vídeo. Quando eu digo religião, eu tô falando das religiões da Bíblia.

Não, judeu pode zoar também, claro. Judeu por acaso lê Bíblia? Estranho, foram eles que mataram Jesus. Vocês têm que rir daquele bando de mão de vaca. Por que é que não fizeram nenhum vídeo de judeu? Tem que fazer.

Eu tô falando da Bíblia de verdade, completa, sem cortes. A escritura sagrada, que fala da vinda do Deus vivo à Terra.

Acho que é isso: quando eu digo religião, eu tô falando das religiões que envolvem Jesus. Não, não tô falando do Inri Cristo. Gente, eu tô falando sério. Quando eu digo religião, eu tô falando das religiões que envolvem Jesus, Maria, José, as que têm multidões de fiéis.

Tem que rir das religiões menores, as religiões de preto, de judeu. Não tem graça rir da fé da maioria do povo brasileiro. Acho que é isso: quando eu digo religião, eu tô falando da religião da maioria. Aí é que perde a graça.

Sim, por acaso essa é a minha religião. Tá bom. Quando eu digo que não pode brincar com religião, eu tô falando da minha religião. A minha religião não tem a menor graça.

Deus e a Copa

JULHO DE 2014

Caros atletas da seleção brasileira, aqui quem fala é Deus. Em primeiro lugar, gostaria de pedir que parassem de me mencionar nas entrevistas. Não tive nada a ver com a derrota de vocês. Não sei se vocês repararam, mas a seleção alemã fez sete gols — e não dedicou nenhum deles a mim. Era de se esperar. Nunca frequentei um treino. Eu não tive nada a ver com aquilo. Os caras estão treinando há dez anos. Não mereço crédito — e nem estou interessado nisso.

Esse negócio de agradecer a mim pega supermal pro meu lado. As pessoas veem as cagadas que estão acontecendo pelo mundo e acham que eu estava num jogo de futebol em vez de estar resolvendo as cagadas. No jogo contra a Croácia, soube que o juiz marcou um pênalti inexistente e vocês agradeceram a mim. Pessoal, eu tenho mais o que fazer do que ficar subornando juiz. Nunca uma seleção brasileira foi tão temente a mim. E nunca uma seleção tomou um sacode tão grande. Perceberam quão pouco eu me importo com a Copa do Mundo?

Pra vocês terem uma ideia, no momento estou num planeta paradisíaco, torrando royalties. Não adianta me chamar que eu não volto. Mesmo que eu me importasse com futebol: vocês acham que eu ia ajudar um time só porque os jogadores acreditam mais em mim? Vocês acham que eu ia prejudicar outro time só porque o pessoal não acredita tanto em mim? Vocês acham mesmo que eu sou carente nesse nível? Fiz mil anos de análise, pessoal. Vocês não vão me comprar com um pouco de afeto e dez por cento do salário. A propósito: esse povo pra quem vocês doam o dízimo não está me repassando o valor. Ninguém até hoje sequer me pediu minha conta pessoal.

Se eu fosse vocês, não me preocuparia tanto com essa goleada. Me preocuparia com outros sacodes: no prêmio Nobel, a Alemanha está ganhando de vocês de 102 a zero (tampouco tive nada a ver com isso). Também não me preocuparia tanto em não transar antes do casamento, David Luiz. Não quer transar, não transa. Mas não diga que sou eu que não quero que você transe. Eu quero mais é que todo o mundo transe, com quem quiser, da maneira que quiser, na posição que bem entender. Transa pra mim.

Despeço-me com uma dica: eu não valho nada, mas o diabo vale muito menos. Não adianta apelar pra Deus enquanto o demônio for presidente da CBF.

Chuteira

JULHO DE 2014

Neto está amarrando suas chuteiras roxas, todo pimpão. Vê Aguinaga, do outro lado do vestiário, amarrando uma chuteira da mesma cor. Fecha o tempo. Vai falar com ele.
NETO Que porra é essa, Aguinaga?
AGUINAGA Do que é que você tá falando?
NETO Essa porra dessa chuteira roxa.
AGUINAGA Não gosta?
NETO Gosto, Aguinaga. Tanto gosto que eu venho usando chuteira roxa há um mês.
AGUINAGA Sério? Irado. Esse é o bonde da chuteira roxa, tum tchi tum tchi...
Aguinaga faz uma dancinha pra descontrair. Neto não acha a menor graça.
NETO Exatamente. É o bonde da chuteira roxa. Não é mais o cara da chuteira roxa.
Aguinaga tenta entender se Neto está falando sério.
NETO Não é mais: Neto? Qual Neto? Aquele da chuteira roxa. Ah, tá, o Neto é o da chuteira roxa. Você acha que alguém me conhece pelo nome?

AGUINAGA Nem pela chuteira roxa.
NETO Mas vai conhecer. Ou melhor, ia. Antes de eu ser só mais um chuteira roxa. Qual Neto? Aquele da chuteira roxa? Mas aquele não é o Aguinaga?
AGUINAGA Ninguém vai confundir. Eu sou do ataque. Você é da zaga.
NETO Eu sabia que isso iria surgir em algum momento.
AGUINAGA Não foi isso que eu quis dizer....
NETO É porque eu sou da zaga que eu não tenho direito de usar chuteira roxa?
AGUINAGA Você entendeu errado.
NETO Chuteira colorida é coisa de atacante! Zagueiro tem que usar chuteira preta! De preferência Kichute!
AGUINAGA Neto, ninguém repara nessas coisas!
NETO Em mim não repara. Mas em você vão reparar, porque você é o craque do time. E sabe o que é pior? Depois de reparar na sua vão reparar na minha, e achar que fui eu que copiei você, quando na verdade...

Neto ameaça chorar. Aguinaga traz ele pro abraço.

NETO ... Eu já usava chuteira roxa antes de todo o mundo, antes do Cristiano Ronaldo, antes de virar moda.
AGUINAGA Virou moda?
NETO Mas ninguém reparou, sabe por quê? Porque eu sou só mais um zagueiro. E lesionado, na maior parte do tempo. Eu tô todo bichado, porra.

Neto chora.

AGUINAGA Relaxa, Neto! Passou. Tirei a chuteira, já. Tá?
NETO Não! Pode ficar. Deixa que eu tiro. Ela ficou muito melhor em você. Essa é toda a questão. Deixa que eu me viro, aqui.
AGUINAGA Sério?
NETO Vai lá! A torcida tá te chamando.

Aguinaga sai do vestiário, sob os gritos da torcida. Neto guarda sua chuteira roxa. Tira do armário um Kichute e veste, enxugando as lágrimas. Ergue a cabeça e entra em campo.

Acabou a baderna

FEVEREIRO DE 2014

Ao exumarem o corpo de Josef Stálin, descobriram em sua farda, no bolso esquerdo, uma estrela na qual se podiam ler as impressões digitais de Iran Kruschewsky, seu assessor, cuja filha primogênita, Anna Nicolaievna, foi amante de Miriam Pletskaya, embaixatriz da extinta Tchecoslováquia cujo filho, Benjamin Berndorff, tem as mesmas iniciais de Bruno Bianchi, ortopedista brasileiro nascido em 1967, mesmo ano em que nasceu o deputado Marcelo Freixo. Procurado, o deputado negou qualquer envolvimento com o regime stalinista. "Não acho que o ano em que eu nasci seja um dado relevante para tecer esse tipo de conexão estapafúrdia", afirmou o deputado, saindo pela tangente. A palavra "estapafúrdia", no entanto, já havia sido usada por José Sapir, meu cunhado, para designar a roupa que uma senhora usava em Copacabana, bairro do Rio de Janeiro, cidade onde nasceu Oscar Niemeyer, stalinista confesso. ... Quer dizer...

Acabou a baderna. Encontraram o grande financiador do movimento. Já foi provado que membros do PSOL doaram cento e cinquenta reais a uma ceia de Natal para mendigos e o dinheiro foi usado para comprar várias rabanadas. Como se sabe, poucas coisas são mais letais que uma rabanada na cara, especialmente se ela estiver dormida. Muita gente já deve ter morrido a golpes de rabanada do PSOL. Isso porque o pessoal não declarou o Panetone. O Panetone é uma arma branca! Ainda mais se for daqueles bem duros, da Visconti. Quando pega na testa, mata na hora. Mas não vai mais matar ninguém. A fonte secou!

Engraçado pensar que alguns acreditavam que o motivo das revoltas de junho fosse a insatisfação popular. Finalmente ficou provado que não. O povo está muito feliz. Eduardo Paes já aumentou a passagem de novo. Não vai dar em nada. O povo não tem problema nenhum com aumento de passagem. O povo não tem problema nenhum com nada. Quem inventa problema é a esquerda caviar. O povo está feliz. Sempre esteve.

A legislação vai mudar, graças a Deus (e à Dilma). Não vamos mais tolerar baderna. A ex-guerrilheira, quem diria, vai baixar o AI-5. O Brasil finalmente está virando um país sério: bandido preso no poste, Polícia Militar ameaçando canais de humor da internet, leis antiterrorismo. O caminho se abriu. Este é o ano em que Bolsonaro vai assumir a presidência da Comissão de Direitos Humanos. Chegou o momento, Capitão! Em abril, nossa revolução faz cinquenta anos.

Xingó-Kaiapu

DEZEMBRO DE 2013

Congresso. Um deputado fala, em sua bancada.
DEPUTADO E para aprovar o novo código florestal e a nova demarcação de terras indígenas, nós, da bancada ruralista, chamamos aqui um cacique, que representa o seu povo e aprovou a nossa ementa.
Aparece um sujeito claramente não índio, pintado e fantasiado toscamente como índio.
PEREIRA Oi. Índio aprovar novo código florestal. Novo código florestal é bom pra índio. Novo código aprovado e tal e coisa.
2º DEPUTADO Olá. Desculpa, deputado. Mas que índio é esse?
DEPUTADO Este daqui é o menino...
PEREIRA Touro-deitado. Pé-de-mamute.
2º DEPUTADO De qual tribo o senhor é?
PEREIRA Xingó-Kaiapu. Perto da região de Guaravita.
3º DEPUTADO É impressão minha ou esse índio parece muito com o Deputado Paulo Pedreira do partido ruralista?
PEREIRA É meu primo.
2º DEPUTADO Por que é que coincidentemente seu primo não apareceu na Câmara hoje?

PEREIRA Ele veio. Tá lá dentro.

3º DEPUTADO Ele precisa assinar a lei, porque foi ele quem redigiu.

PEREIRA Vou chamar.

Índio sai. Deputados se entreolham. Índio volta como deputado, com a maquiagem borrada e o terno colocado às pressas.

PEREIRA Alguém me chamou?

2º DEPUTADO Você precisa assinar a lei.

PEREIRA Pronto. Era só isso?

3º DEPUTADO Não. O índio precisa assinar também.

PEREIRA Puta que o pariu. Não era melhor ter falado quando ele tava aqui.

3º DEPUTADO Não é só o senhor chamar?

PEREIRA Claro, é só eu chamar. Puta que o pariu, neguinho não pensa no outro.

Ele sai e volta de cacique ainda mais tosco.

PEREIRA Pronto, onde é que índio assina?

2º DEPUTADO Só um instante, antes de assinar, a gente queria adicionar um artigo à ementa e precisa consultar o deputado.

PEREIRA Caceeeeta.

Pereira vai pra debaixo da bancada pra trocar de roupa. Ressurge sem cocar.

PEREIRA O que é que foi?

2º DEPUTADO É que eu acho que é imprescindível a presença não só do índio mas do deputado, ao mesmo tempo, no momento em que for assinado o novo código.

Pereira respira fundo. Corte.

DEPUTADO E assim aprovamos a ementa parlamentar que reduz as áreas indígenas demarcadas e o novo código florestal com a presença e aprovação das lideranças indígenas.

Pereira assina com uma mão, na outra segura um fantoche de índio e fala.

PEREIRA Índio aprova.

A boa de segunda

DEZEMBRO DE 2013

Dois homens se vestindo, cada um em seu quarto, falando ao telefone. O clima é adolescente, como se estivessem indo pra balada.

SALDANHA Senador Silveira?
SILVEIRA Fala, Saldanha!
SALDANHA Vai chegar lá na votação lá do negócio da emenda?
SILVEIRA Nossa, ia te ligar agora pra perguntar isso!
Os dois riem.
SALDANHA Tô muito na dúvida.
SILVEIRA Tá marcado pra que horas?
SALDANHA Umas nove, mas aquela coisa, né? Só começa a bombar lá pelas onze.
SILVEIRA Mas a questão é: o pessoal *vai*? A última votação que eu fui tava megamicada. Não tinha ninguém que eu conheço.
SALDANHA Nem fala! Foi o uó. Eu estreei uma gravata nova e não tinha nem CQC.
SILVEIRA Nossa, odeio quando isso acontece! Não comprei uma gravata italiana pra gastar na TV Senado!

Os dois riem.
SILVEIRA Você ligou pro pessoal?
SALDANHA O Zezinho do Sindicato tá em Trancoso. O Josuelton tá em Ibiza. O Pastor Tobias disse que só vai se o Carlinhos for. O Carlinhos falou que só vai se eu for. Mas eu só vou se você for, pra gente sentar no fundão e tocar a zoeira.
SILVEIRA E se a gente mandasse o suplente?
SALDANHA O meu tá cassado.
SILVEIRA A gente pode dar uma passadinha. Se tiver ruim a gente vaza.
SALDANHA Pode ser uma boa. A gente passa, dá uma olhadinha e faz uma social pra marcar presença.
SILVEIRA Combinado, então. Ah, essa votação é sobre o quê?
SALDANHA É uma emenda parlamentar de orçamento impositivo.
SILVEIRA Sério?
SALDANHA Claro que não, porra! Tu acha que eu vou saber que porra de votação que vão tá votando, ô caralho?
Os dois riem.
SILVEIRA A gente se vê lá, filho da puta. E vai perfumado que depois tem puteiro.

Moda reaça

MARÇO DE 2014

Aproveitando essa onda reaça que tá supermegatendência, a gente está lançando toda uma coleção pra você, jovem reacionário, que quer gastar o dinheiro que herdou honestamente na nossa sociedade tão meritocrática — tirando os impostos, é claro. Pode guardar a camiseta fedida do Che Guevara e raspar essa barba de Fidel. A moda guerrilheira é muito 2002. Quem tá com tudo neste outono é o jovem reaça. A moda é cíclica, gatinhos! Nesta estação, vamos aproveitar o aniversário da revolução democrática e tirar do armário a fardinha verde-oliva do vovô. E o melhor: não precisa nem limpar as manchas de sangue. Superorna.

O último grito do outono fascistão é defender os valores tradicionais e ressuscitar velhos chavões: direitos humanos para humanos direitos, bandido bom é bandido morto, Deus não fez Adão e Ivo. Nossa coleção — que será lançada amanhã, no prédio do DOI-Codi — foi feita pensando em você, cidadão de bem, branco, católico, heterossexual, rico, com as pernas no lugar, funcionando direitinho. Você é o homem da minha coleção.

Olha só este soco inglês: é a sua cara. Vestiu bem, homem da minha coleção. Combina com sua correntinha. O homem da minha coleção anda armado e se algum veado vier dar em cima ele diz que atira na testa. O homem da minha coleção transa com travesti mas se arrepende logo em seguida e enche a bicha de porrada. O homem da minha coleção casou na igreja com a mulher da minha coleção num casamento celebrado pelo padre da minha coleção, homofóbico, racista e com um sotaque ininteligível, apesar de nunca ter saído do Brasil.

A mulher da minha coleção critica periguetes porque elas não se dão valor — chama isso de feminismo. Saia curta, nem pensar. "Depois reclama quando é estuprada..." A mulher da minha coleção acha que mulher gorda devia evitar sair de casa. "Ninguém é obrigado a ver gente obesa." A mulher da minha coleção finge que não sabe que é traída pelo homem da minha coleção e se vinga estourando o limite do cartão de crédito do homem da minha coleção, que por sua vez finge que não sabe e se vinga saindo com outras mulheres da minha coleção.

Nosso it boy, claro, é o coronel Paulo Malhães, torturador chiquetésimo que deu depoimento à Comissão da Verdade usando uns puta óculos escuros Prada de aro dourado e assumiu ter perdido a conta de quantos cadáveres ocultou. Divo. Viva a revolução — democrática.

Pobres

FEVEREIRO DE 2014

Eles estão subindo a favela em um jipe, como se fosse um safári.
GUIA Aqui na subida da favela, vocês já podem vislumbrar um ou outro pobre. Percebam que, quando um pobre passa pelo outro, eles se cumprimentam. O simples fato de ser pobre já é o bastante para criar empatia. Percebam que a porta da casa fica aberta. O pobre confia nos outros pobres, porque os outros pobres sabem que ele é pobre, então não tem nada pra roubar além de coisas de pobre. É um ecossistema que funciona.
Eles estão dentro do barraco.
GUIA Aqui dentro desse barraco, mora o Seu Jairo, que é pobre. Vamos dar oi pro Seu Jairo?
TURISTAS Oi, pobre.
Seu Jairo acena, sem entender.
GUIA Seu Jairo economiza com tudo, pelo fato de ser pobre. A água do pobre fica dentro de uma garrafa de refrigerante de pobre. A TV do pobre quase sempre travou na Record.
Turista aponta para porta-retratos.

TURISTAS Quem são essas pessoas?
GUIA Provavelmente são parentes que morreram, de tão pobres.
SEU JAIRO Essa é a minha esposa, ela tá dormindo.
GUIA Dormindo debaixo da terra, né, Seu Jairo? Tadinho. Isso se chama delírio de pobre, seu Jairo.
SEU JAIRO Meu nome é Francisco.
Eles estão na saída do morro.
GUIA Hoje vocês conheceram o morro do rato molhado. Aí vocês me perguntam: por que é que a gente veio tão longe? Porque achar um pobre, hoje em dia, não tá mais tão fácil. O pobre de antigamente hoje em dia é classe C, tem Cross Fox, vai pra Bariloche, posta no Face. Esse pobre de raiz (*pega um passante pelo braço*), com remela e camisa de deputado, tá em extinção. Não é à toa que o Orkut tá vazio. O Sebastião Salgado hoje em dia tem que ir pra África, pro Haiti. Antigamente o cara trabalhava em casa, da janela. Você tropeçava em pobre. Por isso que eu vou pedir pra vocês, se tiverem qualquer coisa pra doar, que não doem. Eu sei que dá vontade de ajudar. Mas se der um dinheiro eles juntam, eles compram um carro, querem ir pra Miami, e vocês tão cansados de saber que não cabe mais ninguém no aeroporto.

Quem nunca

AGOSTO DE 2014

Ambiente de trabalho. Três mulheres estão sentadas, cada uma em seu computador. Marta puxa papo.
MARTA Gente, eu sou uma pessoa péssima.
TELMA Eu te garanto que eu sou uma pessoa pior que você.
MARTA Não é, não. Meu vizinho ficou fazendo barulho de madrugada. Aí hoje eu acordei e liguei o som no volume máximo. Falamansa: rararará mas eu tô rindo à toa. E vim trabalhar. Deve estar rolando agora.
TATI Você é péssima!
MARTA Ué, qual é o problema? A lei do silêncio só vai até as oito da manhã!
Elas riem.
TELMA Amiga, e eu que criei um perfil falso só pra trollar a nova namorada do meu ex no Instagram.
MARTA Mentira!
TELMA Fico o dia inteiro lá: Feia. Tornozelo grosso. Não vestiu bem. Seu cabelo tá seco.
MARTA Boa! Sua escrota.

TELMA Quem nunca?
Elas riem.
TATI E eu, que roubo?
MARTA Oi?
TATI E eu, que roubo coisas que eu não preciso só pras pessoas não terem mais as coisas?
TELMA Você faz isso?
TATI Vai dizer que sou só eu? Agora vai dizer que eu sou a única que roubo coisas de mendigos que estão dormindo?
MARTA Você rouba de mendigo?
TELMA É a única coisa que eles têm!
MARTA Exatamente!
TATI Eles ficam desesperados!
MARTA Por isso é que não pode.
TATI Por isso é que tem graça!
O clima pesa.
MARTA Você é meio louca.
TATI Obrigada!
TELMA Não, louca ruim. Desculpa dizer isso, mas você é uma pessoa ruim.
TATI Gente, agora lá vêm as moralistas! Vão dizer que nunca roubaram o dinheiro da caixinha do pessoal do almoxarifado?
TELMA Nunca.
TATI Tá bom. E da academia?
MARTA Não.
TATI Aquelas moças só guardam tua bolsa. Pra que tanta caixinha? Aquilo é feito pra pessoa roubar!
TELMA Tati, é o dinheiro deles.
TATI Eles já ganham salário! Décimo terceiro, FGTS, a porra toda. Caixinha é pra quê? Pra roubar.
MARTA Isso é muito errado, Tati.
TATI Gente, se envolver com a milícia e pedir pra matar uma

pessoa que falou mal de você na internet também é errado e todo o mundo faz.

TELMA Você fez isso?

MARTA Você é uma pessoa podre.

TATI Uou. Desculpa! Não sabia que eu estava lidando com a Comissão de Ética! Desculpa, Joaquim Barbosa!

MARTA Tati, tudo tem limites.

TATI A que ponto chegou essa patrulha do politicamente correto? Os Trapalhões faziam piada de preto! Hoje em dia você bate numa velha e toca uma sirene.

TELMA Você bate em velha?

TATI Gente, amiga não julga.

O país e o armário

AGOSTO DE 2014

"Todo ano, um milhão de mulheres fazem aborto na França. Eu sou uma dessas mulheres. Eu abortei." O manifesto foi assinado por 343 mulheres e publicado no *Nouvel Observateur*, em 1971.

O Estado francês tinha duas opções: prender essas mulheres ou reconhecer que elas não fizeram nada de errado. O Estado não prenderia 343 mulheres. Ou melhor: não essas mulheres. Dentre as assinaturas, estavam as de Ariane Mnouchkine, Catherine Deneuve, Jeanne Moreau, Marguerite Duras. A redatora do manifesto era ninguém menos que Simone de Beauvoir. Não prenderam ninguém.

A esse manifesto, seguiram-se outros: 331 médicos assumiram-se a favor da causa. Na Alemanha, 374 mulheres assinaram um manifesto em que diziam: Wir haben abgetrieben. Nós abortamos. Entre as mulheres, Romy Schneider e Senta Berger. Em 1975 o aborto deixa de ser crime na França e passa a ser chamado de "interrupção voluntária de gravidez". A interrupção passa a ser "livre e gratuita" até a décima semana de gestação.

Estamos muito longe dessa lei por aqui. Nenhum dos candidatos a presidente parece interessado em discuti-la. Tampouco a classe artística está interessada em sair do armário nesse assunto. O Brasil vai na direção oposta. É constrangedor ver os principais candidatos se estapeando pelo eleitorado conservador. Não se trata de propor mudanças, trata-se de vender apego à tradição. "Você me conhece, sabe que eu sou o que mais acredita em Deus, o que mais passou longe de dar a bunda, de cheirar pó, olhem só como minha filha é virgem, olhem só como meu filho é hétero." Todos estão desesperados pelo voto conservador. Estranhamente, ninguém está nem aí pro voto aborteiro.

Se as eleições, como anuncia o plantão da Globo, são a festa da democracia, essa festa, Dona Globo, está meio caída — ou fui eu que bebi pouco. Na minha opinião, tem pastor demais e maconha de menos. A maioria dos candidatos não fede nem cheira — a não ser um deles, que cheira. Um amigo gay outro dia disse que "levantar bandeira é cafona e quem sai do armário é porque quer atenção". Amigo, tudo bem, ninguém é obrigado a sair do armário. Mas você não precisa trancar a porta por dentro.

Sair do armário não é um ato exibicionista. Levantar bandeira também não. O manifesto das 343 vagabundas, como ficou conhecido, não permitiu às manifestantes que elas fizessem um aborto. Elas já o tinham feito. Permitiu às suas filhas e netas.

Ateus, maconheiros, vagabundas, pederastas, sapatões e travestis do mundo: uni-vos. Porque o lado de lá tá bem juntinho.

PUT SOME FAROFA

Cabeça do Gregorio

SETEMBRO DE 2013

Um grande escritório vazio. Ou quase: no canto, vemos uma mesa, com um computador velho. Um funcionário está dormindo. Seu nome é Totoro. Entra um sujeito engravatado. Totoro acorda.

FISCAL Aqui é o departamento de ideias da cabeça do Gregorio?

TOTORO Isso.

FISCAL Vazio, né?

TOTORO Ô. Quem é você?

FISCAL Eu trabalho no outro departamento da cabeça do Gregorio, o de fiscalização de outros departamentos. E o pessoal tem reclamado muito lá em cima de falta de ideias.

TOTORO É que eu tô muito pegado.

FISCAL Você não tava dormindo quando eu cheguei?

TOTORO Não, tava olhando a mesa. Mais de pertinho. Pra ver se era de madeira. Ou não.

FISCAL Você trabalha aqui?

TOTORO Isso. Eu sou o chefe do departamento de ideias.

FISCAL Chefe de quem?

TOTORO Do departamento de ideias.
FISCAL Tem mais alguém trabalhando aqui?
TOTORO Não.
FISCAL Então você é chefe de...?
TOTORO Do departamento de ideias.
FISCAL Tá explicado por que é que não chega ideia nenhuma.
TOTORO A culpa não é minha. Eu sou só um intermediário. Eu espero as ideias caírem e copio elas neste computador. E elas têm chegado muito pouco.
Cai uma bolinha de papel do teto.
FISCAL O que é que é isso?
TOTORO Uma ideia.
FISCAL Você não vai pegar?
TOTORO Em geral eu espero formar um montinho.
FISCAL Mas aqui já tem umas quatro.
Totoro respira fundo e levanta impaciente. Pega as bolinhas.
TOTORO É que não vai prestar. Quer ver? "Batizar um edifício de 'Edifício é fácil'".
FISCAL Que merda.
TOTORO Esse tipo de ideia eu nem passo pra vocês.
FISCAL Obrigado.
TOTORO "Um brasileiro, um americano e um japonês..." as que começam assim eu nem leio.
FISCAL Aqui tem uma que parece boa: "Um casal de idosos descobre que eram...".
TOTORO Isso é do Verissimo.
FISCAL Mas ele roubou do Verissimo?
TOTORO Ele leu. Daí esqueceu que leu. Agora acha que é dele.
FISCAL "Rita Lee/ Ritalina." Que trocadilho merda.
TOTORO Ele não se deu ao trabalho nem de formular uma frase.

Começa a cair um monte de bolinha.
FISCAL Caraca! Um monte de uma vez só.
TOTORO Relaxa. Isso só acontece quando ele fuma maconha.

Nuances

MARÇO DE 2014

Assento: põe-se embaixo. Acento: põe-se em cima.

Barco: qualquer embarcação. Barca: embarcação lenta.

Ciúme: inveja de afeto. Inveja: ciúme de coisa.

Contagiante: alegria. Contagiosa: doença.

Corda: em qualquer lugar. Cabo: a corda, quando num barco.

Cumpridas: as leis não são. Compridas: as leis são.

Depressão: tristeza de rico. Desespero: tristeza de pobre.

Despensa: armário. Dispensa: o que você não guarda na despensa.

Discriminar: o que é feito com o usuário de drogas. Descriminar: o que deveria ser feito com ele.

Ecologia: proteger o verde. Economia: multiplicar o verde.

Em trânsito: em movimento. No trânsito: sem movimento.

Eu te amo: quando se ama. Eu também: quando não se quer cometer uma grosseria.

Euforia: alegria barulhenta. Felicidade: alegria silenciosa.

Excelência: perfeição. Vossa Excelência: crápula.

Fantasia: roupa no Carnaval. Figurino: na televisão. Caretice desnecessária: no teatro contemporâneo.

Golfinho: baleia extrovertida. Tubarão: golfinho sociopata.

Golpe: revolução pra quem sofreu. Revolução: golpe pra quem participou.

Gravar: quando o ator é de televisão. Filmar: quando ele quer deixar claro que não é de televisão.

Grávida: em qualquer ocasião. Gestante: em filas e assentos preferenciais.

Guardar: na gaveta. Salvar: no computador. Salvaguardar: no Exército.

Javali: porco de raiz. Porco: javali metrossexual.

Língua: dialeto de rico. Dialeto: língua de pobre.

Menta: no sorvete, na bala ou no xarope. Hortelã: na horta, no Mojito ou no suco de abacaxi.

Mentira: na vida real. Inverdade: na política.

Mitologia: religião sem adeptos. Religião: mitologia com seguidores.

Peça: quando você vai assistir. Espetáculo: quando você está em cartaz.

Policial: em qualquer ocasião. Tira: quando está sendo dublado.

Recife: quando você não é de Recife. Ricife: quando você é de Recife. Récife: quando você não é de Recife e está imitando alguém de Recife.

Teatro: em São Paulo. Tchiatro: no Rio. Tiatro: em Ricife. Téatro: na Bahia.

Ukulele: cavaquinho hipster. Rabeca: violino bêbado.

Vocabulário: léxico de quem não tem muito léxico. Léxico: vocabulário de quem tem muito vocabulário.

Autor não encontrado

JUNHO DE 2014

Olá, a coluna desta segunda-feira infelizmente não foi enviada pelo autor. Quem está escrevendo agora é a editora deste caderno, que precisou preencher em cima da hora o buraco que o Gregorio deixou, por não ser um bom profissional. Todo sábado, recebemos o texto em cima do laço, e é sempre a última coisa de que precisamos para fechar a edição de segunda. Diagramadores, editores, revisores, todos sofrem. Mas quem mais sofre é Natalia, a ilustradora, que se vê obrigada a improvisar um desenho às pressas.

E toda semana é a mesma correria. Já pedimos algumas vezes que ele se programasse para mandar o texto com antecedência, mas ele ora pede desculpas e diz que está passando por maus bocados "em casa com a patroa" (sic) ora pede que "parem de encher a porra do meu saco, eu sou um artista livreeee" (sic). Às vezes diz que só precisa de um tempo para "apertar unzinho enquanto a inspiração não baixa".

Uma vez, nos escreveu um e-mail que deixou a todos mais calmos: "Estou em frente ao computador, vou mandar agora mesmo", mas logo abaixo estava escrito "enviado do meu iPhone". Alguns minutos mais tarde, publicava em seu Facebook que tinha passado de fase no Candy Crush. O texto veio só no dia seguinte.

Nesta semana, foi diferente. Gregorio disse que não mandaria o texto pois estava muito "pegado de trabalho" (sic). Descobrimos através do seu Instagram que ele está na Grécia. Uma foto dos seus pés na areia revela que ele estaria "recarregando as baterias". Em outra foto, abraçando uma estátua em Delos, ele diz: "Obrigado Apolo, continue a me iluminar". Procurada, sua assessoria afirmou que ele está viajando em um ato de "protesto contra a Copa".

Por isso, precisei escrever a coluna no lugar dele. Pedi à Natália que ilustrasse a coluna com um desenho bem horroroso do seu rosto, enquanto eu tento replicar seu estilo. É fácil de imitar: em geral a adversativa vem introduzida por dois pontos. A temática também é sempre a mesma: basta aproveitar este espaço pra divulgar causas pessoais e se autopromover. Seguinte: tô vendendo um Corsa 2003 sedã quatro portas única dona favor ligar para a *Folha* e tratar com Heloísa Helvécia.

Garçom vegetariano

SETEMBRO DE 2013

Restaurante chique. Um casal está sentado. Garçom vem atendê-los.

GARÇOM Posso anotar o pedido de vocês?
HOMEM Eu tô pensando em pedir esse filé à Oswaldo Aranha. Como é que ele vem?
GARÇOM Vem morto.
HOMEM Não entendi.
GARÇOM O filé, senhor, é um boi, né? E ele é servido, invariavelmente, morto.
Garçom fica triste. Quase chora.
GARÇOM Desculpa, é que eu soube disso agora há pouco.
MULHER Sim, mas ele quer saber da parte Oswaldo Aranha.
GARÇOM Ah. Isso devia ser o nome de uma pessoa. Provavelmente um homem. Também morto. Que deu nome ao filé.
HOMEM Mas como é que ele é servido? O filé?
GARÇOM Morto. Invariavelmente. Isso daí infelizmente não tem como mudar.
MULHER Sim, mas vem com quê?

GARÇOM Ah. Alho. Por cima. Do cadáver. Do boi morto. Abatido brutalmente, com uma pancada na cabeça.

MULHER Acho que eu vou de frango. Como é que é esse supremo de frango?

GARÇOM Isso daí é um pintinho que eles entupiram de hormônio pra crescer bem rápido. Daí criaram com mais mil pintinhos entulhados dentro de uma caixa de sapato. D...

MULHER Sim, mas depois...

GARÇOM Mataram ele. Invariavelmente. É uma coisa horrível.

HOMEM Mas e a parte do Supremo...

GARÇOM Creme de leite. Por cima do cadáver. Do frango morto.

HOMEM Acho que a gente vai de saladinha mesmo.

Garçom sorri. Anota o pedido.

MULHER Tem salada de atum?

Garçom volta a chorar, inconsolável.

Horóscopo

JANEIRO DE 2014

ÁRIES: Cuidado com o futuro. Ao contrário do passado, ele ainda não aconteceu. Por isso, é muito difícil saber o que pode acontecer. Cuidado.

TOURO: Entre todos os sentimentos que você pode experimentar está o amor. Talvez seja o mais perigoso deles. Talvez seja apenas um deles. Talvez não seja nem uma coisa nem outra. Cuidado.

GÊMEOS: Termine o que você começou. Desde que valha a pena terminar. Caso você não tenha terminado por ter percebido que não valia a pena terminar, não termine. Deixe como está.

CÂNCER: Más notícias. É pouco provável que o amor venha bater na sua porta. Afinal de contas, o amor é um sentimento abstrato. Quem bate nas portas são apenas seres humanos. Ou testemunhas de Jeová. Cuidado.

LEÃO: A Lua está em Saturno, ao contrário de você, que está na Terra. Isso significa que você não está na Lua, posto que ela está em Saturno, desde que Saturno não esteja na Terra, é claro. Aproveite a Terra.

VIRGEM: O mês é propício a viagens. Seja para fora do país, seja de casa pro trabalho, e do trabalho pra casa. Ou viagens de ácido. Ou talvez algum parente viaje. Ou você verá aviões no céu. Ou anúncios da Decolar.com. Cuidado.

LIBRA: O ano vai ser ótimo para a sua saúde, desde que você não fique doente. Caso fique doente, é capaz que melhore. Caso piore, não significa que você vá morrer. Mas tome cuidado.

ESCORPIÃO: Será um ano de mudanças. Tudo vai mudar. Inclusive a maneira como as coisas mudam deve mudar. Então, se as coisas sempre mudaram pra você, talvez parem de mudar. Cuidado.

SAGITÁRIO: O ano vai depender muito de você. Corra atrás do que você quer. Não espere que as coisas aconteçam sozinhas. Elas não vão acontecer. A não ser coisas que acontecem sozinhas, claro. Como a chuva, por exemplo. Não precisa correr atrás. Não vai adiantar.

CAPRICÓRNIO: Beba com moderação. Durma com moderação. Acorde com moderação. Modere com moderação. Moderação demais é um exagero. Modere menos: exagere. Com moderação.

AQUÁRIO: Esse é o primeiro ano do resto da sua vida. A não ser que seja o último. Nesse caso: esse é o primeiro resto do ano da sua vida. Ou: essa é a primeira vida do resto do seu ano.

PEIXES: Hoje, exatamente, faltam trinta e dois anos e vinte dias pra você morrer. Ou talvez faltem cinquenta e quatro anos. Ou talvez faltem doze dias. Não importa. O que importa é que agora, exatamente agora, começou uma contagem regressiva. Cuidado.

Tradução simultânea

MARÇO DE 2014

Sala de transmissão do Oscar. Um tradutor simultâneo tenta traduzir para o telespectador tudo o que acontece no palco.

ELE Billy Cristal: Boa noite, vocês são uma plateia mais bonita do que Mountain Rockwa... O ator fez um trocadilho, uma piada que faz referência ao fato de que há uma montanha homônima ao ator Rockward, bom, isso não tem tradução...

ELA A comediante Ellen De Generes retrucou dizendo: isso quer dizer que você não estava presente no *Tonight Show* no dia em que, bom o *Tonight Show* é um programa de John Stewart, isso foi uma piada mais voltada ao público americano, mesmo, que acompanha a programação televisiva, não cabe traduzir.

ELE Billy Cristal, novamente: obrigado Miley Cyrus, por nos... bem, ele está fazendo referência a uma celebridade local, é uma piada de atualidade, a atriz, famosa pelo papel de Hannah Montana, recentemente, bom, essa tem que acompanhar o noticiário americano pra entender. Não cabe aqui narrar, enfim. Steve Martin arremedou com uma piada referente à Miley Cyrus que eu perdi porque estava explicando a piada anterior da Miley Cyrus.

ELA E para apresentar o prêmio de Melhor Atriz, Whoopy Goldberg. O público aplaude intensamente. Com a palavra Whoopy Goldberg, que diz: hua-ha baby ooo, isso não tem tradução, é apenas isso mesmo que significa, uma série de onomatopeias. Acrescidas de um pouco de humor visual, uma piada imagética. Ou talvez seja a imitação de alguém que eu não conheço. O público ri, não sei exatamente por quê. Fica o mistério.

ELE Com a palavra Billy Crystal. Negros não gostam de, bom, eu não vou traduzir essa piada, em português ela fica parecendo racista, mas ela é calcada no fato, digo: no preconceito de que negros não teriam o hábito de, bom, acho que ele está falando dos negros americanos. Whoopy volta ao palco.

ELA Bom, Whoopy arremedou com alguma coisa que eu não entendi, acho que foi uma brincadeira com Billy, eles são amigos de longa data, foi uma piada interna. Billy responde com outro trocadilho, um chiste linguístico, intraduzível, baseado no fato de que duas palavras de significados opostos em inglês têm uma sonoridade parecida em inglês. Whoopy responde com: oh, no he didn't. É uma piada de repetição, uma running gag, fazendo referência a uma piada anterior que eu não havia traduzido pois eu estava traduzindo uma outra piada que eu tampouco havia traduzido, assim como agora eu perdi alguma coisa que provavelmente foi uma piada pois o público está rindo. O público agora está aplaudindo, de tanto rir. Esse Oscar está se revelando especialmente divertido para quem está lá.

Piada

SETEMBRO DE 2013

Um português, um francês e um americano estavam no deserto quando perceberam que estavam dentro de uma piada. Foi o português quem primeiro perguntou: o que é que nós estamos fazendo aqui, ó, pá? Ao que o francês respondeu, com leve sotaque: se você está falando "ó, pá" isso só pode ser uma piada, porque nenhum português de verdade fala assim. Ao que o americano respondeu: e se nós que nem portugueses somos estamos falando português, e ainda por cima com esse sotaque tão malfeito, é porque isso só pode ser uma piada. Já estou morrendo de sede, disse o francês, precisamos sair daqui o quanto antes.
Ao que o português, que não era burro e tinha ido parar ali na piada por engano, respondeu: talvez algo de engraçado precise acontecer, talvez a gente precise encontrar a graça da piada pra conseguir sair daqui. Talvez se encontrássemos uma lâmpada, disse o americano, piadas de deserto costumam envolver gênios, lâmpadas, três pedidos, e no terceiro pedido, puf: a graça.
Os três cavaram por horas, sem qualquer vestígio de graça

ou lâmpada. O francês teve uma ideia: nós só vamos sair daqui quando o português disser ou fizer uma estupidez. Ao que o português respondeu ser contra a perpetuação desse tipo de preconceito. Os outros dois pediram que ele batalhasse por essa causa depois que já tivessem saído da piada. E o português desandou a gritar estupidezes, a contragosto. Não teve graça. Partiu para o humor físico. Tropeçou, comeu areia, imitou um camelo. Nada.

Foi aí que lhe veio a ideia: talvez não fosse uma piada de português. Talvez fosse uma piada de francês. Algo relacionado ao fato dele não tomar banho. O francês disse que era limpíssimo e que o mais provável era que a piada em questão recaísse sobre o americano. Este disse que nunca tinha visto uma piada de americano, o que só torna essa piada melhor, respondeu o francês, porque ela é inesperada. O americano fez meia dúzia de americanices, sem efeito.

Eis que no horizonte surge, esbaforida, uma loura. Alguém viu meu papagaio?, ela pergunta. Perfeito!, diz o francês. É nele que mora a piada. Surge o papagaio. Mas ele é do tipo que não fala. Eles desistem. Exaustos, refestelam-se na areia, moribundos.

Talvez isso não seja uma piada, diz o português. Talvez isso seja só uma coluna de jornal, que não precisa de graça para acabar. Talvez acabe de repente, sem piada. O que é que a gente faz?, pergunta a loura. Espera, ele responde. Espera.

Pardon anything

JUNHO DE 2014

Hello, Gringo! Welcome to Brazil. Não repara a bagunça. Don't repair the mess. In Brazil we give two beijinhos. Em São Paulo, just one beijinho. If you are em Minas, it's three beijinhos, pra casar. It's a tradition. If you don't give three kisses, you don't marry in Minas. In the other places of Brazil, you can give how many beijinhos you want. In Rio, the beijinho is in the shoulder.

The house is yours. Fica à vontade. Qualquer coisa é só gritar. Shout. Mas keep calm. Como é que se fala keep calm em inglês? Here the things demoram. It's better to wait seated. Everything is atrasado, it's like subentendido that the person will be atrasada. For a meeting, it's meia hora. For a party, it's two hours. For a stadium, it's one year. For the metrô, it's forever.

Never say you are a gringo. Yes, people love gringos but people also love money and gringos have money so people vai cobrar de você mais money because you are gringo. Say you are from Florianópolis. People de Florianópolis look like gringo and they have a strange sotaque igual like you. People will believe you are from Florianópolis.

Politics is complicated. We don't like Dilma because of corruption but I think she don't rob but people from PT rob and Dilma don't do nothing to stop people robbing but politics is complicated. Try this moqueca. Put some farofa. Try this açaí. Put some farofa. Try this chicken we call à passarinho because it looks like a little bird. Now put some farofa. Now put some ovo inside the farofa. Mix with some banana. Delicious. You don't have farofa in your country? You know nothing, you innocent.

I'm catholic but I'm also budista and I am son of Oxóssi. How do you say Oxóssi in english? It's the brother of Ogum. You don't know Ogum? They are guerreiros. And my moon is in Áries. Ou seja. Imagine the mess.

Try this xiboquinha. It's cachaça with canela and honey. Try this Jurupinga. It's cachaça with wine. Or maybe it's wine and sugar. Nobody knows. It's delicious. Try this soltinho da Bahia. It's organic. I only smoke when I drink. But the problem is I drink a lot. Try this brigadeiro. This is called larica. Now put some farofa. Delicious.

This cup passed really fast. Volte sempre. Come back always! Fica lá em casa. We are family now. You like that? You can keep it. It's yours. Faço questão. I make question. Go with god and desculpa qualquer coisa. Pardon anything.

Número de emergência

JANEIRO DE 2014

Balcão de companhia aérea. Cliente está sendo atendida.
ATENDENTE Senhora, eu preciso de um número de telefone, para caso aconteça alguma emergência.
CLIENTE Pode ser o meu?
ATENDENTE No caso de um acidente com a senhora, não vai adiantar muito ligar para a senhora.
CLIENTE Ah, tá. Esse número que você quer é para o caso de o avião cair?
ATENDENTE Isso.
CLIENTE É que eu não tinha nem pensado que esse avião podia cair.
ATENDENTE Não vai cair. Mas, caso caia, a gente precisa de um número...
CLIENTE Não dá pra ser o meu? É que tudo sempre acaba voltando pra mim de qualquer jeito.
ATENDENTE Desculpa, mas tem que ser o número de outra pessoa.
CLIENTE Então liga para o meu namorado.

ATENDENTE Telefone?

CLIENTE 9827... Não. Liga não. Que ele nunca atende aquilo lá, só dá caixa postal. Liga pra minha mãe. 9738... Não. Liga não. Que ela é cardíaca e vai cair dura. A não ser que você fale com jeitinho. Você já sabe como é que vai ser a abordagem?

ATENDENTE Não vou ser eu que vou ligar...

CLIENTE Então é melhor não ligar. Liga pra minha irmã. Rita. 7862... Não. Liga não. A Helena vai ficar puta que eu dei o telefone da Rita e não dei o dela. Helena é a outra irmã. Liga pra ela: 8934... Não. Mas aí a Rita é que fica puta. Liga pra Neide. É a empregada. E pede pra Neide ligar pra minha mãe, que a Neide vai saber como falar com ela. A Neide tem muito jeito com a minha mãe. E fala pra Neide pedir pra minha mãe dar a notícia pra Rita e pra Helena ao mesmo tempo, que é pra nenhuma delas ficar puta. Tá anotando?

ATENDENTE Tô tentando...

CLIENTE Não. Apaga. A Neide vai confundir tudo. Liga pro meu namorado mesmo. Ele não vai atender. Mas deixa recado. E pede pra ele ligar pra Neide e explicar pra ela tudo isso que eu te falei. Mas devagar. Não deixa ele ligar pra minha mãe antes de ligar pra Neide que ele mata ela de susto. Eles dois não se dão. Nem deixa ele ligar pra Rita nem pra Helena. E aproveita e diz pra Neide regar as plantas enquanto eu estiver morta. E apagar o meu Facebook senão o Facebook fica me sugerindo de amizade pra pessoas que sabem que eu morri e é a coisa mais constrangedora do mundo. A senha é Senha23 que é a minha Senha de tudo. E já que você tem a minha senha aproveita e libera uns amigos no Candy Crush. Entendeu?

ATENDENTE Acho que sim.

CLIENTE Então repete.

ATENDENTE Olha, vou botar o número da senhora mesmo.

CLIENTE Melhor. Que tudo sempre acaba voltando pra mim de qualquer jeito.

Se eu morresse...

AGOSTO DE 2013

Se eu atravessasse a rua agora, eu morria atropelado por aquele carro preto. Era bom que eu não precisava entregar o texto dessa semana. Mas ia ser um drama fodido.

O dono do carro preto ia ficar bem puto. Depois ia ficar bem mal. Depois ia ficar bem puto, de novo, porque o sinal tava aberto pra ele. E o carro preto ia ficar bem estraçalhado. Dei uma engordada que ia ser fatal pro carro preto. O dono do carro preto ia sair me xingando, só depois ia perceber que eu já morri. Aí ele ia ficar mal de novo. As pessoas iam ficar putas com ele, porque ninguém fica puto com quem já morreu. Mas o sinal tava aberto pra mim, ele ia dizer. Talvez alguém me reconhecesse: esse cara faz uns vídeos pra internet. Talvez virasse uma comoção.

A *Folha* ia publicar uma homenagem no lugar onde é a coluna, o Porta dos Fundos talvez lançasse um vídeo-homenagem, com meus melhores momentos editados, uma música emocionante. Fora que vinte e sete anos é uma idade ótima pra morrer, tem um monte de gente legal que morreu com vinte e sete anos e as pessoas iam me botar no meio dessa lista. Ia parecer que eu faço parte de um grupo: "Nós, que morremos com vinte e sete". Ia parecer que eu tinha levado uma vida muito mais maldita e muito mais interessante.

Talvez eu virasse nome de rua. A rua em que eu morri. A própria Marquês de São Vicente talvez passasse a se chamar rua Gregorio Duvivier, com a legenda: mártir dos atropelados. Se bem que o sinal tava vermelho pra mim. Nunca iam homenagear um cara que atravessou no sinal fechado. E a Marquês é uma rua muito grande.

Talvez valesse mais a pena eu ser atropelado numa rua menor. Na rua das Acácias, por exemplo, eu tinha mais chance. Aí sim, rolava meu nome. Ou não. Rua das Acácias é um nome bonito, os moradores iam preferir manter. E ninguém atropela ninguém por ali. As pessoas iam achar suspeito. Iam pensar: esse daí se jogou na frente do carro só pra virar nome de rua.

Talvez aqui na Marquês seja mais fácil. Talvez aqui eu consiga emplacar um canteiro. Canteiro Gregorio Duvivier. Não. Canteiro não costuma ter nome. Talvez, no máximo, uma plaquinha: aqui morreu Gregorio Duvivier, que fazia vídeos pra internet e escreveu um livro de poemas. Que ninguém leu. Não. Melhor não atravessar, não. Por enquanto, morrer não tá valendo muito a pena pra mim. Nota mental: fazer alguma coisa que preste. Puta que o pariu, tenho que entregar o texto dessa semana.

O seguro morreu de chato

JULHO DE 2014

Toda longa caminhada começa com um primeiro post usando o aplicativo da Nike.

Passarinho que come pedra andou usando tóxico.

De grão em grão, a galinha tem uma alimentação super-rica em fibras.

Em briga de marido e mulher, se chama a polícia.

Se Maomé não vai à montanha, é porque ela está sendo bombardeada.

Quem conta seus males, espanta.

O pior cego é o Andrea Bocelli.

Os cães ladram, a caravana para pra postar foto de cachorro no Instagram.

Quem não arrisca, não morre de atropelamento.

Casa de Ferrero, espeto de Lindt.

O Santos, em casa, não faz milagre.

A fé move montanhas de dinheiro.

Nunca diga nunca, a não ser em ditados.

A pressa é inimiga da perfeição e deseja a ela vida longa pra que ela veja cada dia mais sua vitória.

Água mole em pedra dura tanto bate até que cansa.

Quem espera sempre cansa.

Quem não tem net, caça com gato.

A justiça tarda, mas antes tarde do que nunca diga dessa água não beberei.

Antes tarde do que só depois do *Globo Repórter*.

O seguro morreu de chato.

A voz do povo é a voz da Claudia Leitte.

Cabeça vazia, oficina do pastor.

Todos os caminhos levam ao coma.

Um olho no gato, outro no namorado dele.

Jogar Chávez para colher Maduro.

Uma andorinha não faz ideia.

Aos amigos, a justiça brasileira. Aos inimigos, a malha fina.

Nutrição

JULHO DE 2014

Consultório de uma nutricionista.
MÉDICA Fiz uma dieta pra você seguir à risca. É muito importante não fugir disso, pelo menos na primeira semana.
Mulher lê a dieta. Não entende.
MULHER Não entendi. Pode pão à vontade?
MÉDICA Pão é ótimo. Não leu no jornal de hoje?
MULHER Saiu no jornal?
MÉDICA Deixa eu só ver no G1 se continua fazendo bem. Continua. Pode comer. Quando começar a fazer mal eu te ligo.
Mulher lê a dieta.
MULHER Tá escrito que eu preciso evitar brócolis?
MÉDICA A todo custo. Acabei de receber um inbox no Face avisando que o brócolis caiu.
MULHER Não era anticancerígeno?
MÉDICA Sim, mas parece que tá dando Alzheimer. Então tem que botar na balança.
MULHER Mas ovo pode?
MÉDICA Ovo à vontade.

MULHER Você acha que isso deve mudar?

MÉDICA Não. O ovo parece que veio pra ficar (chega um SMS). Ih não. Caiu. Por causa do colesterol. Não. É colesterol bom. Então pode. Eu tenho um grupo de WhatsApp só pro ovo.

MULHER Não tem nada que seja definitivo? Tipo a linhaça?

MÉDICA Linhaça tá superultramegaproibida a partir das duas da tarde.

MULHER Faz mal comer depois das duas?

MÉDICA Faz mal comer sempre. É que descobriram isso hoje, às duas.

MULHER E abacate?

MÉDICA Abacate mata...

MULHER Então não.

MÉDICA ... os germes....

MULHER Então sim?

MÉDICA ... responsáveis pela cura do câncer.

MULHER Então não.

MÉDICA Mas pela cura do câncer bom.

MULHER Tem câncer bom?

MÉDICA Não. Esse que é o problema.

MULHER Então abacate não?

MÉDICA Jamais. Não poderia. Deixar de poder. A não ser que venha a poder mesmo.

MULHER Vou botar que não.

MÉDICA Melhor.

O ovo

NOVEMBRO DE 2013

"Carlos acordou e fritou um ovo." — Anônimo

"N'aquele outomno de 1875, Carlos abriu as pálpebras esguedelhadas — tinha acordado macilento. Trazia-lhe tranquillidade contar as dezoito velas do lustre de ouro, presenteado pelo tio Affonso havia trinta e dois anos. 'Somente para dar-me esse lustre serviu o tio Affonso', pensou. Levantou-se da cama com uma fadiga langorosa, arrastando consigo os lençóis de seda indiana e esticou-se num fato de xadrezinho inglês. Cobriu-se com um cache-nez de seda clara e abriu um telegramma, indolente e poseur, em frente ao espelho de Veneza — resvalava, através das árvores, uma luz esverdinhada. Ordenou à criada:

— Frite-me ovos." — Eça de Queiroz

"Carlos acordou com uma súbita vontade de fritar um ovo, hei de fritar um ovo, pensou, agora mesmo, posto que se não fritá-lo, não poderei comê-lo frito, e terei de me contentar com ele cru, o que não seria do meu agrado. Tendo pensado nisso, fritou o ovo, e não está ruim, pensou, o ovo, frito." — José Saramago

"Acordei libertado da angústia de não estar acordado. Não estar acordado é enorme: viver é isso. Fritei um ovo." — Clarice Lispector

"Sonado: Carlos abriu o olho. Bisbilhava-se. A galinha desovou um ovo, disse Migué.
— Larga de afoiteza, gritou tio Janjório. É muita ambicionice comer a galinha que ainda não galinhou.
Carlos nem orelhou. Quando o tio viu, o ovo já não era."
— Guimarães Rosa

"Acordei ao lado de Vânia, que ainda dormia. Seus seios eram rosados e sua pentelheira era vasta e negra. Levantei e acendi um cigarro naquele fogão de bacana. Na cozinha, Branca me esperava, nua, com uma Magnum na mão, tapando-lhe a boceta. Eu disse alguma coisa e ela não gostou. Apontou a arma para os meus testículos.
— Frita, Carlos. Seus ovos vão ser a porra do meu café da manhã.
Alguém bateu na porta. Era Frida, nua. Fodemos." — Rubem Fonseca

"Carlos acordou com a perna meia dormente. Para ficar com menas dor, recorreu a uma simpatia. Foi até a cozinha e fez um ovo estralado." — Paulo Coelho

Esse ano passou rápido

DEZEMBRO DE 2013

Feliz Ano-Novo! Começo a ensaiar um musical. Tragédia: um incêndio mata duzentas pessoas na boate Kiss. O papa nazista renuncia. Eduardo Paes fecha todos os teatros da cidade por causa do incêndio. Suspendem os ensaios da peça. O novo papa é fofo — e não parece nazista. A gente volta a ensaiar a peça — o teatro não mudou nada. Gravo o vídeo "Dez Mandamentos" sob o sol de Cabo Frio e Deus me pune com uma queimadura de segundo grau. Uísque ou água de coco, pra mim tanto faz. Morre Chorão. A peça vai ser uma tragédia. Estreia e dá tudo certo. Obrigado, Senhor, obrigado por me ajudar mesmo que eu seja ateu. O novo presidente da Comissão de Direitos Humanos é um pastor racista e homofóbico. Errou feio, errou feio, errou rude. Clarice lança o melhor disco do século XXI. O preço da passagem vai aumentar vinte centavos. Vem pra rua. O gigante acordou. Pronto: a passagem não vai mais aumentar vinte centavos. Mas não é só pelos vinte centavos. Bora pra Rio Branco. Tomo porrada. Caio de cara no asfalto. Merda, roubaram meu celular. O gigante dá uma morgada. Dilma fala na TV. Parece que ela tá lendo um texto. Diz que vai chamar médicos cubanos e lutar contra o vandalismo. Não adianta muito. O gigante acorda mais bolado e quebra tudo, até a Toulon. Êitcha Lelê. Me apresentam o Candy Crush. Perco o mês inteiro de julho nisso. Matam o Daleste na frente de todo o mundo. Começo a escrever pra *Folha*. Que dias bons. Prepara que agora é hora da Jornada Mundial da Juventude. O gigante aperta a função soneca. Essa carne é Friboi? O gigante começa a gostar desse ios7. É feriado no país laico em homenagem ao papa fofo — que é contra o aborto e o casamento gay. Pastor diz que vai processar o Porta. Discuto na TV com Didi Mocó, ele diz que não pode rir de religião, eu acho que pode. Clarice e eu vamos morar juntos. Pai, tô cem porcento. O gigante acorda trincado: os professores querem salários melhores. Feliciano desiste de processar a gente (preguiça? noção? mais o que fazer?). Clarice e eu já estamos morando juntos. Professores tomam porrada. Miley Cyrus rebola no colo de Beetlejuice. Morre Champignon. Os alunos defendem os professores. Tomam mais porrada. O gigante entra em coma induzido. Champanhe agrega status ao rei do camarote. Lanço um livro de poesia (alienação? debilidade? amor?). Morre Mandela. Collor e Sarney vão visitar. Tadinho. Porta dos Fundos reconta a vida de Jesus. Então é Natal. E o que você fez? Esse ano passou rápido. Feliz Ano-Novo.

O homem de 2003

ABRIL DE 2014

O Homem de 2003 acorda ao som do seu celular tocando o Nokia Tune. O homem de 2003 abre sua agenda (ele ainda usa agenda) e descobre que tem uma reunião no centro da cidade dali a uma hora. "Uma hora é tempo de sobra para chegar no centro", ele pensa, "ainda dá pra tomar um cafezinho" — coitado.

O homem de 2003 sai de casa com cinco reais na carteira: ele acha que a passagem custa um e cinquenta. Ao embarcar, percebe que, além de custar três reais, agora o ônibus tem uma televisão em que passam dicas astrológicas. O trânsito está parado e o homem de 2003 já leu onze vezes seu horóscopo. O homem de 2003 chega à reunião com uma hora e meia de atraso. As pessoas não parecem se incomodar — essa é a vida em 2014. Os colegas riem quando ele põe trema. Tadinho do homem de 2003. Ele é do tempo do trema!

O homem de 2003 vai à padaria e pede um cafezinho. A caixa de 2014 estende a máquina do cartão: débito ou crédito? O homem de 2003 não sabe o que responder. Não faziam essa pergunta em 2003. O homem de 2003 estende uma moeda de cinquenta centavos. A caixa explica: "Custa sete reais". "O cafezinho?" "É Nespresso", ela responde. "É o quê?" O homem de 2003 desiste. "Chegando em casa eu passo um café (o homem de 2003 ainda fala 'passar um café')." O homem de 2003 liga para os amigos, mas eles não atendem. As pessoas não atendem mais o telefone em 2014. Ele joga perguntas no Yahoo: "Como falar com amigos em 2014?" e descobre que ele tem que baixar um WhatsApp. Mas não sabe como fazer isso no seu Nokia 1100.

O homem de 2003 vai ao pior bar da cidade. Quem sabe assim encontra seus melhores amigos. Felizmente, certas coisas não mudam: seus melhores amigos continuam frequentando o pior bar da cidade. A diferença é que cada um está mergulhado na tela do seu celular. Fazem carinho na tela, coçam a tela, tamborilam a tela. Quando falam, é pra comentar o que está na tela: você viu isso aqui? Você leu isso aqui? Vou te mandar isso aqui. O homem de 2003 conta uma piada, mas é velha. Arrisca uma fofoca, mas é manjada. Quando fala de política, é um desastre. Ele diz que acredita no Lula. Ele diz que sonha em ver a Copa no Maracanã. Os homens de 2014 voltam para sua tela. Postam no Facebook: Amigo petralha #semcomentários.

Na volta, ele lê as dicas astrológicas pela enésima vez: "O homem de Áries precisa se adaptar à realidade ao seu redor". Ele decide: "Vou comprar um iPhone". Enquanto isso não acontece, pega o celular e se delicia com o jogo da cobrinha.

Drédito

ABRIL DE 2014

Garçom traz a conta.
CLIENTE Traz a maquininha, por favor?
Garçom traz a máquina. Cliente dá o cartão.
GARÇOM É débito ou crédito?
CLIENTE Drédito.
GARÇOM Oi?
CLIENTE Crébito.
GARÇOM Não entendi.
CLIENTE Clérbito.
GARÇOM Débito?
CLIENTE Clérigo.
GARÇOM Crédito?
CLIENTE Drécimo.
O cliente começa a suar frio e a passar mal.
CLIENTE Lépido. Périplo.
GARÇOM Senhor, a pergunta é simples. Ou é drédito ou… Quérdito.
CLIENTE Quérdito?

garçom Péricles.
cliente Cérebro.
garçom Mérito.
cliente Derby.
garçom (*grita por ajuda*) Josias!

É melhor ter wi-fi que ter razão

MAIO DE 2014

Oscar Wilde morreu num quarto de hotel. Parece que ele estava incomodadíssimo com a decoração. Reza a lenda que suas últimas palavras foram: "Ou eu ou esse papel de parede". Um século depois, o quarto de hotel em que ele morreu continua idêntico. O papel de parede venceu a batalha.

    Escrevo esta crônica num quarto de hotel, sozinho. Daqui a algumas horas vamos fazer uma peça em Salvador. Todo mundo foi almoçar, menos eu — fiquei aqui pra escrever a crônica. Alguma coisa me dá uma tristezinha braba. Não sei se é a fome ou o edredom laranja, ou a poltrona laranja, ou o quadro laranja — será que eles pensaram nisso? Será que eles encomendaram um quadro laranja pra combinar com o edredom? Ou será que foi o contrário?

    Pedi na recepção a senha do wi-fi. "A internet custa trinta reais, senhor." Não comprei como forma de protesto. "Wi-fi é que nem água, não se cobra", eu disse. "Sim, eu sei que vocês cobram cinco reais pela água, mas não deveriam." A moça pediu desculpas e continuou a fazer o que ela estava fazendo. Quando cheguei no quarto, lembrei que preciso do wi-fi pra mandar a crônica. Lembrei que preciso escrever a crônica. Durante a semana eu tenho várias ideias pra crônica. Mas nunca tenho nenhuma ideia no sábado, que é quando eu tenho que escrever a crônica. Você deve estar se perguntando: por que é que eu não escrevo a crônica durante a semana, no momento exato em que eu tenho uma ideia pra escrever a crônica?

Foi a mesma coisa que a Clarice me perguntou. Eu fiquei sem resposta — ela sempre me deixa sem resposta. Daí ela disse que eu tenho que aprender a me programar, que toda semana é a mesma coisa, o mesmo desespero pra cumprir compromissos que eu assumi há milênios, e que eu não tinha que ter brigado com a moça do wi-fi, e foi almoçar. Agora aqui estou eu, sozinho, e com fome, e sem wi-fi. Por um momento, tenho uma ideia brilhante. Vou ligar pra *Folha* e falar que não posso mandar a crônica porque não tenho wi-fi. Custa trinta reais e eu não quero pagar esse preço. Não, essa foi a pior ideia do mundo. Isso não faz o menor sentido.

A vida volta e meia te põe nessa encruzilhada: é melhor ser feliz ou ter razão? De um jeito, eu fico sem wi-fi, sem crônica e, possivelmente, sem emprego. Do outro, eu fico sem razão. É melhor ser feliz que ter razão. É melhor ter wi-fi que ter razão. Não vale a pena morrer por um papel de parede. "Oi, moça, desculpa, eu mudei de ideia, vou querer o wi-fi. E desculpa qualquer coisa."

#FimDoMundo

JULHO DE 2014

Caceta, o chão tá tremendo. Cadê meu celular? "Chão tremendo... #FimDoMundo." Aquilo ali na frente é um prédio caindo? Pronto. Agora só falta botar um filtro. Lá embaixo eu posso pegar de outro ângulo. Merda de 3G que não pega em elevador. Earlybird. Não. Valencia. Foi. Curte, galera, curte. Olha o meteoro! Merda, perdi. Por que é que ninguém tá me retuitando? De repente se eu pensar numa piada...... Apocalipse. Eclipse. Calipso. Apocalipso. "Tá chegando o #Apocalipso." Nem fez sentido. Mas o pessoal tá começando a curtir. Ah, se esses meteoros passassem mais devagarinho... Dava uma foto linda.

O MUNDO, PARADINHO, TEM A MAIOR GRAÇA

Túnel do tempo

OUTUBRO DE 2013

Caro Gregorio-mais-velho,
Quem te escreve é o Gregorio-de-sete-anos-de-idade. O motivo desta carta é o seguinte: percebi, por experiência própria, que o tempo muda as pessoas (em geral, pra pior). A prova disso é que é insuportável brincar com qualquer pessoa que tenha mais de dez anos de idade. A não ser com a vovó Ivna, que é o único adulto que se diverte brincando de torremoto ou aprendendo a jogar paratiparara. Modéstia à parte, acho que estou, agora, no meu auge. Faço toda a sequência do paratiparara com meu melhor amigo Rodrigo em dezessete segundos. Por isso te escrevo, Gregorio-piorado: para te esclarecer algumas coisas que você talvez tenha esquecido daqui a vinte anos. Em primeiro lugar: nunca deixe de ouvir Beatles, e nunca ache que tem alguma coisa mais legal que Beatles, porque não tem. Em segundo lugar, aprenda a tocar algum instrumento direito. Assim, quem sabe a Fanny te dá bola. Terceiro lugar: nunca deixe de brincar de torremoto. Caso você tenha esquecido, são pedaços de madeira que podem virar torres, ou casas, ou carros. Ou podem ser só pedaços

de madeira, se você quiser jogar nos amigos. Resumindo: envelheça igual à vovó. Ah, e tenha uma casa cheia de cachorros. E video games. E de preferência case com a Fanny. E por favor: continue o melhor amigo do Rodrigo. Um abraço.

Caro Gregorio-mais-novo,
É com muito pesar que eu te escrevo esta carta. Pesar, caso não saiba, é o contrário de prazer. Para começar: sua avó morreu. Pois é, isso é estranhíssimo: as pessoas morrem. Até a vó Ivna morre. As pessoas mais legais do mundo morrem. Morreu seu amigo Rafinha, que morava no prédio do Rodrigo. Atropelado. Morreu seu primo Guilherme, que se matou. Não adianta perguntar, eu não sei por quê. O fato é que na minha casa não tem cachorros, eu não sei tocar bem nenhum instrumento e nem lembrava do torremoto. Mas nem tudo é ruim. Você não briga mais com seus irmãos, que são seus novos melhores amigos, além do Rodrigo e da Julia, que tão namorando (você que apresentou). E você, tcharã: acabou de se casar. Foi mal, não foi com a Fanny. Mas foi com uma menina muito mais linda (mal, Fanny). Ela toca violão. E não só Beatles. Músicas dela. E um dia a gente vai ter cachorros. Ou filhos, o que vier primeiro. E daí eu juro que volto a brincar de torremoto. Por enquanto, a vida tá corrida, uma espécie de paratiparara. Aliás: aproveita enquanto você acha graça nessas coisas. E aproveita enquanto sua avó tá viva. Você vai sentir falta.

Sessão de terapia

OUTUBRO DE 2013

Paciente está deitado no divã. Analista o analisa, de sua poltrona.
ANALISTA Pode começar.
Paciente fica em silêncio.
ANALISTA cinco, dez, quinze, vinte...
Paciente continua em silêncio, sem entender.
ANALISTA Sabe o que é isso? É o seu dinheiro indo embora.
PACIENTE Desculpa. Eu tive uma semana difícil.
ANALISTA Jura? Um trator levou a tua casa?
PACIENTE Não.
ANALISTA Os nazistas descobriram que você e sua família moram escondidos num sótão?
PACIENTE Não, até porque...
ANALISTA Você é um elefante órfão que sofre bullying por ter orelhas gigantes?
PACIENTE Não, definitivamente.
ANALISTA Então a gente precisa redefinir a palavra "difícil".
PACIENTE É que tá complicado lá no trabalho.

ANALISTA É trabalho escravo? Você leva chibatada, limpa porra no chão, leva surra de rola?
PACIENTE Não.
ANALISTA Então vamos ficar felizes com o trabalho?
PACIENTE Vamos.
Silêncio.
ANALISTA trinta, quarenta, cinquenta...
PACIENTE Minha mãe.
ANALISTA O que é que tem?
PACIENTE Ela não para de encher o meu saco.
ANALISTA Eu sei bem como é.
PACIENTE É.
ANALISTA A minha também enchia o meu saco. Até que morreu. E adivinha? Parou de encher meu saco.
PACIENTE Isso é chato. Mas isso não impede que a minha mãe viva seja bem chata também.
ANALISTA Se quiser eu conheço um pessoal que pode dar um jeito na sua mãe.
PACIENTE Não precisa.
ANALISTA Então vamos ficar felizes com a mãe viva?
PACIENTE Vamos.
(*silêncio*)
ANALISTA sessenta, setenta, oitenta...
PACIENTE Já que você falou de morte, meu pai morreu e eu nunca me recuperei.
Analista levanta da cadeira, vai até o paciente e aperta suas bolas. Ele dá um grito.
ANALISTA Eu nasci com uma doença rara que faz com que eu não tenha testículos nem rim, o que me dá psoríase, sudorese e incontinência urinária. Meus pais me deixaram num orfanato e quando eu só era abusado pelos padres eu chamava aquilo de "um dia bom". Passei a adolescência traficando quantidades in-

dustriais de cocaína que eu trazia da Colômbia dentro do meu intestino. Fui dedurado e passei doze anos em Bangu onde eu me formei em "psicanálise de rua". Isso aqui não é seriado da GNT, não. Isso aqui é análise de rua, amigo. Se você quiser eu posso espremer as suas bolas igual a um tomate cereja.

PACIENTE Por favor, não faz isso.

ANALISTA Repete comigo: vamos ser felizes com esta vida.

Ele repete.

Baixinho

AGOSTO DE 2014

Quando eu era pequeno, não imaginava que continuaria pequeno pelo resto da vida. "Come bastante pra crescer e ficar bem alto", diziam. Comia com a voracidade de quem quer ter um metro e noventa. Perguntava: "Já estou crescendo?". Ainda não estava. Era o mais baixo dos meus amigos, mas estava comendo tanto que um dia ultrapassaria todos. Minha mãe, talvez percebendo que a única coisa que esse mito estava gerando era obesidade, confessou: "Gregorio, não importa o que aconteça, você nunca vai passar de um metro e setenta".

Não importa o que aconteça. Eu estava amaldiçoado. Carregava nas costas o peso do futuro. Chorei por horas, talvez dias, embora possam ter sido só alguns minutos. Queria ser goleiro da Holanda ou detetive da Scotland Yard, profissões de gente alta. "Talvez eu tenha que me contentar com a ginástica olímpica." E chorei mais um pouquinho.

Quando via um baixinho, batia uma tristeza profunda de lembrar do que estava por vir. Era como aquelas propagandas que diziam: não percam, domingo, no *Faustão*... Não! O domingo vai chegar! E o *Faustão* também! A vida é melhor sem saber disso. Até que cresci — não muito, mas cresci. Estacionei no um metro e sessenta e nove, com sensação térmica de um e setenta — o cabelo despenteado ajuda a chegar lá e até hoje checo se a maturidade não me rendeu algum centímetro a mais.

Os amigos desfavorecidos verticalmente me ajudam a superar. Antonio Prata tem na ponta da língua uma lista de baixinhos ilustres, que vão de Millôr Fernandes a Bono Vox, passando por Woody Allen, Al Pacino e, claro, Romário, antena da raça baixinha. Isso conforta. Os baixinhos engrandecem a causa. A não ser pelo Bono Vox, que envergonha a classe e usa salto embutido. Tudo tem limites. Às vezes gosto de alguém e não sei por quê. Depois percebo: é baixinho. Quando cruzo com um de nós, aceno com a cabeça como quem diz: estamos juntos.

Odiamos shows em pé. Ainda comemos como quem um dia quis crescer. Nunca vamos ser goleiros ou detetives da Scotland Yard. Mas nos resta este ponto de vista privilegiado: de baixo pra cima. Além do conforto nas cadeiras da classe econômica.

Áries

MARÇO DE 2014

ELA Deixa que eu adivinho. Você é áries.
ELE Não.
ELA Mas o ascendente é áries.
ELE Não.
ELA A lua?
ELE Não sei.
ELA Só pode ser áries. Impulsivo desse jeito.
ELE Não sou tão impulsivo.
ELA Ainda. É que é só depois dos trinta que a lua em áries começa a se manifestar.
ELE Eu tenho trinta e um.
ELA E tá impulsivo. Esse jeito de falar "eu tenho trinta e um" foi bem impulsivo. Bem ariano.
ELE Acho que foi normal.
ELA Isso também é bem áries.
ELE O quê?
ELA Discordar.
ELE Não acho.

ELA Tá vendo?
ELE Não.
ELA Ó.
ELE Ah.
ELA Tem certeza de que o signo e o ascendente não são áries? Ou ali em volta de áries?
ELE Não. É libra ascendente libra. O oposto.
ELA Então. Libra com libra anula. Dá o oposto: áries.
ELE Você tem razão. Eu sou bem áries. Matou a charada.
ELA Tá vendo? Falei.
ELE Mas o que eu fiz não foi tão áries, porque eu concordei com você.
ELA Mas de maneira impulsiva. Áries.
ELE Mas assim é fácil. Qualquer coisa que eu diga serve de argumento pra você provar o que você quer.
ELA Claro, eu sou gêmeos.

Conto de Natal

DEZEMBRO DE 2013

Meus primos já não acreditavam em Papai Noel havia muito tempo. A Barbara, minha irmã mais nova, já não acreditava em Papai Noel havia muito tempo. Eu era o último beato: era pra mim que continuavam a encenação. E que encenação. Como o Natal era sempre na fazenda, meu avô aparecia em cima de um trenó puxado por uma rena. Era tipo Disney, só que mais real. Pros meus amigos descrentes, eu dizia: "Vocês só conhecem aquele Papai Noel do shopping. É claro que aquele não existe. O que vai lá em casa é especial. Ou você acha que é qualquer velhinho que tem um trenó puxado por uma rena?".

Já devia ter uns sete anos de idade quando percebi que tinha alguma coisa errada. Peraí. Esse trenó é uma carroça. Essa rena é um jumento. E esse Papai Noel tem os olhos do meu avô, a voz do meu avô e os dois nunca estão no mesmo lugar ao mesmo tempo. A verdade começou a ecoar como num filme: o Papai Noel é o seu avô. O seu avô é o Papai Noel. Luke, I am your father. Balbuciei: "Vovô?". Ele tossiu. Cobriu os olhos. Hou-hou.

Olhei em volta e vi que todos estavam prendendo o riso,

inclusive a minha irmã mais nova. Todos sabiam de tudo. E o pior: todos sabiam que eu não sabia. Fui correndo pro banheiro e vomitei a ceia de uma vez só. Na boca, o gosto azedo de decepção, desespero e Chester com farofa de ameixa.

"Se o Papai Noel não existe, o que é que existe, então? Por que é que a Barbara não me contou que ele não existe? Será que isso quer dizer que sou mais burro que ela?"

Chorei por horas e nunca mais acreditei em nada: Papai Noel, coelhinho da Páscoa, fada do dente, Deus, o Espírito Santo, homeopatia ou relacionamento aberto. Quando via um quadro de Jesus, eu tinha vontade de puxar a barba postiça. Tadinho do vovô, acha que me engana.

Meu primo Santiago (filho dos meus primos) tem três anos de idade. Perguntaram o que é que ele ia pedir ao Papai Noel. Ele disse que não queria nada. Explicaram que o Papai Noel podia conseguir qualquer coisa que ele quisesse. Era só pedir. Seus olhos brilharam, fascinados com tanto poder. E disse: "Então pede pra ele um empadão".

De repente o Natal voltou a fazer sentido. E meu avô, depois de vinte anos de férias, vai voltar a desempenhar seu papel. Acho que meu ceticismo não resiste a uma aparição na carroça, trazendo um empadão.

A vida no hospício

SETEMBRO DE 2013

JORGE

Nada mais divertido que morar num hospício. Dá trabalho se fingir de louco. Mas vale a pena. O aluguel é de graça, a comida não é ruim e você ainda tem diversão vinte e quatro horas por dia. Melhor que TV a cabo. Tem um gordo que acha que é Napoleão. A parte engraçada é que ele é gordo. E tem dois metros de altura. E nem sabe direito quem foi Napoleão. Tem a Dona Valda, que acha que é dona disso aqui. Tem um louco, o Edmir, que acha que eu sou um armário e inventou que quer guardar coisas dentro de mim. Às vezes passa horas me perseguindo. É hilário. Outro dia tivemos um embate físico. Mas nada grave.

EDMIR

Eu devia ter feito veterinária, passava o dia cuidando de gatinho. Mas não. Passo o dia limpando cocô na parede e conversando com Napoleão. De todos os ramos da enfermagem, saúde mental é o mais ingrato. Sobretudo num hospício moderninho onde o paciente não usa camisa de força. Outro dia tomei um tabefe do Jorge, que não queria tomar o Haldol e saiu gritando: "Eu não sou seu armário!". Pra piorar, a Dona Valda, que é a proprietária disso aqui, me obriga a tomar um remedinho. Ela diz que é bom pra eu sentir na pele o que os loucos sentem. Resultado: tremedeira, babação. Eu devia ter feito veterinária.

VALDA

Eu comecei isso aqui pra ganhar dinheiro. Mas acabei me apegando. Hoje em dia tem gente querendo comprar o terreno e fazer um estacionamento. Mas eu não vendo por nada nesse mundo. Os pacientes precisam de mim. O Edmir é um que eu tenho vontade de levar pra casa. Um amor de pessoa. De todos os loucos é o que tá aqui há mais tempo. E até hoje acha que é enfermeiro. Usa jaleco e tudo. Às vezes tenta empurrar um remédio goela abaixo dos outros e termina em briga. Não faz por mal. Mas o meu preferido mesmo é o nosso Napoleão de dois metros de altura. Um amor de pessoa. Ah, não vendo isso aqui por nada nesse mundo.

JAIME

Nunca aprovei a forma como a saúde mental era tratada no Brasil. Meu pai morreu num hospício, lobotomizado, no mesmo ano em que eu me formei em medicina. Me especializei em psiquiatria. Inventei meu próprio método. Aqui não tem lobotomia, eletrochoque nem camisa de força. Todo o mundo aqui é louco. E todo o mundo é médico. Me visto de Napoleão porque foi a fantasia que eu consegui alugar. Eu deveria ter pesquisado mais sobre o personagem. Se eu soubesse que ele media um metro e meio teria escolhido outra fantasia.

Meu irmão

MARÇO DE 2014

Meu irmão faz aniversário no dia 19 de março. Cinco anos mais velho que eu, João vai fazer trinta e três anos. Mas parece que sempre teve trinta e três anos, desde que nasceu.

Quando era pequeno, João gostava de brincar de trânsito. A brincadeira consistia em colocar os carrinhos enfileirados e fazer bi-bi fom-fom por horas e horas. Num dia muito animado, eventualmente, ele aparecia com uma ambulância — ió-ió-ió. Depois que ela passava, os carros retomavam suas posições e tudo voltava ao normal. Bi-bi. fom-fom. Na ansiedade característica de uma criança de três anos, eu vinha com o carro a mil por hora, tentava uma ultrapassagem perigosa que gerasse uma batida cinematográfica e — plouft! Cataplouft! Ao que João, com a calma de sempre, dizia: não agita. E voltava ao trânsito seu de cada dia. Feliz da vida.

João tem uma síndrome raríssima, cujo nome eu aprendi pequenininho, pra explicar pros meus amigos: ele tem síndrome de Apert. A síndrome é barra-pesada e gera uma série de complicações que eu não vou enumerar aqui. Basta dizer que volta e meia outras crianças apontavam para ele e diziam coisas terríveis.

Uma vez, numa lanchonete, crianças endiabradas ficaram dando voltas em torno dele e gritando — Monstro! Monstro! Minha mãe pediu pra elas pararem. Nada. Sem saber o que fazer, derramou um copo cheio de Coca-Cola na cabeça delas. Elas saíram correndo. João teve um ataque de riso. Depois, toda vez que uma criança ameaçava praticar bullying com o João, minha mãe dizia: olha a Coca-Cola! E o João morria de rir.

João cresceu. Até hoje adora um trânsito. Passa o dia no ônibus, pra lá e pra cá, muitas vezes sem destino — o destino é a viagem. Conhece todos os trajetos e todos os motoristas. Os motoristas adoram ele, que adora conversar muito mais que o indispensável. E adora a vida.

Uma vez, depois de uma cirurgia craniofacial em que poderia ter morrido, João tomou um banho, se sentou na cama do hospital e disse para minha avó: "Ai, que vida boa".

Viva o João. E viva a minha mãe, que além de jogar Coca-Cola nos problemas da vida, está contando a história do João num livro. Hoje, quando o carro — e a vida — não andam e dá vontade de quebrar tudo com um taco de beisebol, lembro do João, no chão de casa: "Não agita". O mundo, paradinho, tem a maior graça. Ai, que vida boa.

Finch na Lua

MAIO DE 2013

No palco passam pessoas com olhar desolado, com os figurinos mais diversos. J. P. Finch, um jovem executivo dos anos 1960, entra em cena, de gravata-borboleta e gomalina no cabelo. Ele está bastante perdido.

HOMEM NA LUA Você por aqui?

FINCH Onde é aqui?

HOMEM NA LUA Aqui é o lugar onde os personagens ficam quando não estão sendo interpretados no teatro.

FINCH Tá cheio, né?

HOMEM NA LUA Hoje é segunda. Muito pouca peça em cartaz. Precisa ver isso aqui no sábado. Fica um tédio.

FINCH Como é que você sabe disso tudo?

HOMEM NA LUA Eu morei aqui por catorze anos. Fui inventado pra um ator específico, em 1998. Esse cara fez meu papel durante um ano e pouco. Aí ele foi ser outros caras. Foi só catorze anos depois que outro cara fez meu papel de novo. O mesmo cara que é você, atualmente.

FINCH Ele é nós dois ao mesmo tempo? Que cara promíscuo.

HOMEM NA LUA Muito. Ele é você de quinta a domingo. E eu às terças e quartas. E não duvido nada que na segunda ele seja outro cara.

FINCH Então eu vou ficar aqui toda segunda, terça e quarta?

HOMEM NA LUA Eu acho difícil. Porque a sua peça é famosa no mundo inteiro, tem sempre alguém sendo você em algum lugar do mundo. Esse seu povo da Broadway nunca vem pra cá. Tá sempre sendo montado em algum lugar.

FINCH Em compensação, deve ter gente que não sai daqui, né?

HOMEM NA LUA Nem fala. Aquele velho ali chama Vovô Pimpolhão e foi escrito pra uma peça infantil de 1957, nunca remontada.

FINCH Por que é que ninguém te remontou, nesses catorze anos que você passou aqui?

HOMEM NA LUA Meu autor é meio chato, não gosta de me emprestar por aí.

FINCH Como você se chama?

HOMEM NA LUA Pergunta complicada.

FINCH Por quê?

HOMEM NA LUA Porque eu não tenho nome.

FINCH É figurante?

HOMEM NA LUA Protagonista. Mas protagonista de monólogo.

FINCH O que é que um monólogo tem a ver com você não ter nome?

HOMEM NA LUA Ninguém me chama na peça, então não dá pra saber meu nome.

FINCH Eu não tenho esse problema. Tem muita gente trabalhando na Rebimboca. Falam meu nome o tempo inteiro. Até em música.

HOMEM NA LUA Eu também tenho música. Mas não fala o meu nome. Só da Berenice.

FINCH Berenice?

HOMEM NA LUA É, a mulher que me deixou. A peça é sobre isso.
FINCH Isso dá assunto pra peça?
HOMEM NA LUA Pra muitas peças.
FINCH Não sabia. Eu não costumo ir ao teatro.
HOMEM NA LUA Eu também não. Mas eu escrevo teatro. Ou melhor, deveria escrever. Se não fosse a Berenice que desde que saiu da minha vida não sai da minha cabeça.
FINCH Antes dela existir na sua vida você escrevia?
HOMEM NA LUA Não. Mas depois ficou pior. Não consigo trabalhar porque só penso nela.
FINCH Eu não consigo pensar em ninguém porque tô sempre trabalhando.
HOMEM NA LUA A gente tem muito a aprender.
FINCH Também acho. Essas segundas-feiras vão ser divertidas.
VOVÔ PIMPOLHÃO Aceitam jogar uma biriba?

Carvana e Mnouchkine

AGOSTO DE 2011

Quando pequeno, nunca pensei que meu pai fosse substituível. Ele era uma espécie de criatura mitológica saída de alguma revistinha da DC. Era mestre em tocar saxofone e pegar jacaré. No meu aniversário de seis anos, trouxe pra casa um bode, alugado na Tijuca. Foi a alegria da festa, e me tornou uma criança muito popular por meses — "na festa dele teve um bode". O bode teve que ser devolvido, mas seu cheiro nunca deixou nosso Chevette.

Percebi que meu pai era mortal quando vi, do alto da escada, uma pequena clareira careca em seu cocuruto, do tamanho de um quipá. Fiz as contas: meu pai é um homem, os homens são mortais, logo meu pai é mortal. A morte do meu pai passou a me preocupar muito mais do que a minha própria morte (a morte da minha mãe nunca me preocupou, porque isso eu sempre soube que não acontece e ponto). Decepcionado com a falibilidade paterna, precisei arranjar sucessores à altura.

Quando adolescente, estagiando em comédia, boemia e fluminense, meu sonho era ser Hugo Carvana, mestre maior em comédia, boemia e fluminense. Cheguei a cultivar um bigode, mas desisti da ideia quando vi que ele nunca teria a opulência e a classe de um bigode do Carvana. A ressaca me impedia de ser boêmio. O fluminense agonizava na terceira divisão. Fiquei só com a comédia.

Fui até Paris para conhecer outra sucessora do meu pai, durante um estágio no Théatre du Soleil. Chegávamos às oito da manhã no galpão gelado e saíamos às cinco da tarde. O que nos mantinha unidos, além dos cobertores, era a Ariane. Quando ela falava, o mundo parava para ouvir. Foi o mais perto que eu cheguei de uma experiência mística. Não sei se acredito em Deus, mas acredito em Ariane Mnouchkine.

Éramos duzentos atores, no total, e tínhamos que usar uma tarja com nosso nome, presa na blusa por um alfinete. Um dia, esqueci a tarja em casa. Levantei a mão para fazer uma pergunta. Quando lembrei que estava sem a tarja, já era tarde demais. "Sim, Gregorio", ela disse. Olhei para minha blusa para confirmar que a tarja não estava lá. Não estava. "Sim, Gregorio", ela repetiu. E eu não tinha mais nada a dizer. Ela sabia meu nome. Fiquei quieto, como um imbecil. Um imbecil com nome.

Voltei ao Brasil. Um dia, tocou o telefone. Era o Carvana, me chamando para o filme dele. Pensei que era trote, mas aceitei na hora. Quando se trata do Carvana, até trote eu aceito. Não me arrependi; o filme foi demais.

O Carvana tem um jeito específico de chamar as pessoas do seu círculo social. Não cabe dizer aqui, mas é uma parte do corpo, um círculo, justamente, embora pouco social. O Carvana usa essa palavra como um vocativo, precedida, invariavelmente, pelo pronome possessivo. Assim: meu cu.

O fato é que eu me sentia incomodado quando ele me chamava de Gregorio. Porque percebi que tal epíteto anal era restrito aos mais íntimos. Era como um título que merecia ser conquistado. Estava distraído quando ele me chamou pela primeira vez de seu cu. Demorei para entender que era comigo. Nunca fiquei tão feliz de ser o cu de alguém. Eu não era um cu qualquer, eu era o cu do Carvana. Ser chamado de Meu Cu por Hugo Carvana era como ser chamado de Gregorio pela Ariane Mnouchkine. Era tudo o que um filho quer: reconhecimento.

(Quanto a meu pai, eu não devia ter me preocupado. Sua careca occipital só aumentou alguns centímetros. E ele continua pegando jacaré e tocando saxofone como ninguém.)

O ator precoce

SETEMBRO DE 2012

Uma sauna suntuosa. Ela está de roupão, deslumbrante. Clima de filme erótico italiano dos anos 1970. O jardineiro abre a porta, sedutor.
ELA Entra, Geraldo.
ELE Mas e se o patrão chegar?
ELA Ele que se dane. Você não percebe que eu só quero você, Geraldo?
Eles se beijam.
ELE Não posso ficar, já tá no final do meu expediente.
ELA Pode deixar que eu te pago hora extra.
ELE Assim você me deixa louco...
Ela faz menção de apalpá-lo fora de quadro. Percebe-se pela face do ator que ele está tendo um orgasmo. Ela não entende se é sério ou atuação. Ele deixa claro que é sério, afastando ela. Ele olha pra câmera e faz menção de cortar, constrangido. Ela respira fundo. Isso sempre acontece com ela.
DIRETOR Corta! O que é que aconteceu, Romero?
ELE Perdi o controle.

DIRETOR Que coisa de garoto, Romero.
ELE Primeira vez que me acontece isso.
DIRETOR Tava há muito tempo sem botar pra fora?
ELE Tava acumulando pra dar volume. Aí ela deu uma pegada ali que foi fatal.
DIRETOR Agora a gente faz o quê?
ELE Roda outra.
DIRETOR Direto?
Ator olha para o próprio membro.
ELE Quinze minutinhos.
DIRETOR Quinze?
ELE Vinte.
DIRETOR Vinte minutos pro ator!
Atriz cochicha para o ator.
ELA Quer que eu não dê a pegada?
ELE Se você puder evitar essa pegada, vai facilitar pra mim.
Mesma cena anterior.
ELA Entra, Geraldo.
ELE Mas e se o patrão chegar?
ELA Ele que se foda. Você não percebe que eu só quero você, Geraldo?
Eles se beijam. Ele estremece. Tenta segurar e não consegue. Atriz impaciente.
DIRETOR Corta! De novo, Romero?
ELE Desculpa aí, gente.
ELA Eu tô fazendo alguma coisa errada?
ELE Não, esse é que é o problema. Você tá fazendo bem demais.
DIRETOR Quer cortar alguma marca?
ELE Agora que você falou, se tiver condição dela não me beijar…
DIRETOR Mas é um filme pornô.

ELE Mas não precisava me beijar desse jeito.
DIRETOR Ellen, tenta não beijar o Romero desse jeito. Vem cá, Romero.
Eles vão para um canto.
DIRETOR Quer que eu resolva na edição?
ELE Como é que funciona isso?
DIRETOR Eu faço um geral contigo e o close eu faço com outra caceta.
ELE Com a caceta de quem?
DIRETOR Sei lá que caceta. Com a minha caceta.
ELE Eu não sei como é sua caceta, pode pegar mal pra mim.
DIRETOR Com a caceta que você escolher. Escolhe uma caceta. Quer a caceta do Rubens?
Operador de boom, negro, aparece em quadro, já abrindo a calça.
RUBENS Quem quer minha caceta?
ELE Obrigado, Rubens. Mas pode ser com a minha caceta, mesmo.
Rubens fecha o zíper, decepcionado.
DIRETOR Tem certeza?
ELE Claro. Sou profissional, porra.
DIRETOR Então vai lá.
Ele olha para o próprio instrumento, decepcionado.
ELE Calma aí. Agora? Não pode ser depois do almoço?
Diretor respira fundo, impaciente, e grita para a equipe.
DIRETOR Almoço!
Mesma cena anterior.
ELA Entra, Geraldo.
Ele estremece.
DIRETOR Corta! Porra, Geraldo.
ELE Ela precisava mesmo falar com essa voz?
DIRETOR Fecha na caceta do Rubens.
Rubens, animado.

Amizade platônica (o Prata e eu)

NOVEMBRO DE 2013

Fiquei melhor amigo do Prata sem que ele soubesse. Li o livro *Douglas e outras histórias*, presente do Fernando Caruso, amigo meu que já era melhor amigo do Prata sem que ele soubesse. Não parecia que eu tinha lido o livro, parecia que eu tinha sentado num bar com o Prata e ele tinha me contado o livro inteiro. E falando assim parece que foi chato, mas não foi. Foi muito legal. Tanto é que a gente ficou melhor amigo à primeira vista. Sem que ele soubesse, é claro.

Eu reconheci nele o melhor amigo que me faltava desde que eu e meu então melhor amigo começamos a ver outras pessoas, porque a relação se desgastou, muito pela questão da presença física. Não demorei a perceber uma coisa: quando você não conhece uma pessoa, é muito pouco provável que você e ela briguem. O grande problema de uma amizade é você conhecer a outra pessoa. Durante anos, cultivei essa amizade platônica, que é um tipo de ligação que eu recomendo.

Tive algumas oportunidades de conhecê-lo, mas preferi não chegar às vias de fato, porque isso poderia abalar nossa relação.

Vai que ele tem um metro e noventa. Eu não posso andar do lado de um cara de um metro e noventa. Eu sou muito criterioso em relação à altura das pessoas com quem eu ando. Na amizade platônica, a pessoa tem a altura que você quiser. Você só tem os benefícios da amizade, sem aquela obrigação de ir ao chá de panela, ou liberar no Candy Crush. Caso vocês estejam se perguntando, ele não é meu único amigo platônico. Tenho alguns deles, como o Paul McCartney e o Fred do Fluminense. Mas o Prata era o mais íntimo, mesmo.

Percebam que eu já chamava ele de Prata como se eu o conhecesse. Sim, porque chamar pelo sobrenome é sinônimo de intimidade. Parece que você estudou na escola dele e tinha vários Antonios e ele acabou ficando conhecido como o Prata. Quando a pessoa quer fingir que é amiga de alguém logo chama pelo sobrenome. "Eu tava tomando um chope com a Dilminha." Eu duvido que alguém chame a Dilma de Dilminha. Agora, se alguém disser: "Eu tava tomando um chope com a Rousseff", as pessoas vão falar: "Caramba, ele é amigo da Dilma". Se bem que não. Porque acho que ela não toma chope. E eu não vejo por que alguém iria tirar essa onda. Péssimo exemplo. Mas resumindo: fomos muito amigos, eu e o Prata. E durou um tempo. E foi bom enquanto durou.

Até o dia em que a Companhia das Letras sugeriu que a gente lançasse o livro juntos. E me mandaram o livro *Nu, de Botas*. E descobri que a gente não era melhor amigo. A gente era a mesma pessoa. Li as memórias dele com a impressão estranhíssima de que eram as minhas memórias. E eu garanto que isso vai acontecer com você também. Por mais louca e específica que tenha sido a vida do Prata, por mais louca e específica que tenha sido a sua vida, quando o Prata fala da vida dele, parece que é a sua vida, parece que ele é e sempre foi você.

Resultado: o livro me fez rir e chorar e depois rir de novo do ridículo que foi chorar no aeroporto e chorar pelo ridículo que é ficar rindo e chorando no aeroporto e acabar perdendo o voo e pensar: que bom, vou poder rir e chorar mais um pouquinho. Volta e meia tinha que fechar as páginas e lembrar da minha própria vida, pra não misturar com a vida dele (na verdade não fechava as páginas porque recebi o livro como um arquivo pdf por e-mail e li no celular mesmo, mas "fechava as páginas" é muito melhor do que "fechava o aplicativo"). Entrei no voo com o "livro" nas mãos e li até o momento em que a aeromoça me pediu pra "desligar" o livro. Fiz o que todo o mundo faz. Apertei o botão em cima do celular mas não tempo o bastante pra desligá-lo. Assim que ela virou, liguei o livro de novo e continuei a ler.

Cheguei no Rio determinado a terminar essa relação platônica. Em primeiro lugar, porque é muito narcisismo você ser melhor amigo de você mesmo. Em segundo lugar, porque a gente estava para se conhecer. E poucas amizades platônicas resistem ao conhecimento do objeto "amigado".

Aí a gente se conheceu. E parecia que a gente já se conhecia há muito tempo. Porque a gente já se conhecia mesmo. E tem coisas que a amizade platônica não pode te dar. Ele tem um e sessenta e nove, igualzinho a mim. Na verdade ele tem um e sessenta e oito e mente que tem um e sessenta e nove. Igualzinho a mim. Viva a amizade. A platônica, e as outras.

Crítica

AGOSTO DE 2014

CARLOS E aí? Foi bom pra você?
BARBARA Você quer uma opinião curta ou uma crítica aprofundada?
CARLOS Acho que pode ser aprofundada.
BARBARA Fui jantar com Carlos sem grandes esperanças — não era nem de longe o mais bonito do escritório, tampouco era o mais inteligente ou o mais engraçado. Já sabia que a foda não seria espetacular, mas um recente pé na bunda me fez aceitar a aventura — não esperava por tanta mediocridade. A foda começou bem. As preliminares, de modo geral, ocorreram com modéstia e humildade, sem traços de preciosismo na chupação ou excessos de manipulação anal. Carlos encarou minha fenda com a coragem de um amador — vê-se que lhe falta prática, mas o afinco com que ele compensa a inabilidade com a língua não deixa de ser comovente. A verdadeira decepção se deu na penetração propriamente dita: a rola de Carlos não diz a que veio. Falta cadência no meter. É claro que havia na jeba uma angulação diagonal que não favorecia a carimbação frenética —

mas, houvesse mais perícia, a buceta faria vista grossa pro direcionamento da benga. O texto também não ajuda. Carlos repetia diversas vezes, de forma mecânica, a frase: "isso, sua vagabunda", mostrando pouco conhecimento do baixo calão e denotando certo machismo antiquado. A iluminação tampouco contribui: a luz fria de teto ressalta a calvície de Carlos, galopante. Lá pelo minuto oito, a fodelança se mecanizou e minha cabeça foi parar no Hortifruti — onde talvez um pepino aveludado pudesse de novo umidificar meus grandes lábios. Gozei baldes lembrando de Robson, que trabalha no caixa. Resultado: uma foda medíocre, que como comédia não diverte e como drama não emociona. Melhor assistir à reprise de *Cabocla* no Canal Viva.

CARLOS Acho que eu preferia a opção curta.

BARBARA Ah. Gostei.

Tempo e contratempo

JUNHO DE 2014

Humor envelhece. Quando a Companhia das Letras me chamou para escrever sobre o Millôr, tremi nas bases. E se ele tiver envelhecido? Essa parte da vida é triste. Depois de morrer, a gente continua envelhecendo. Ou melhor, as pessoas continuam envelhecendo. A gente, por não envelhecer junto, acaba perdendo o vigor, saindo do tom, soando repetitivo de tanto que já nos repetiram. E se o Millôr, nosso humorista mais inteligente e mordaz, tiver ficado obsoleto? Já aconteceu com outros, tão bons quanto ele. Já não assistimos aos filmes de Oscarito e nem ouvimos os programas da PRK30. Humor passa. Mais rápido do que o drama. Seu material é a sociedade atual, e ela muda o tempo todo.

Breve flashback. Tinha oito anos quando percebi que o Papai Noel que frequentava minha casa uma vez por ano parecia demais com meu avô, e os dois nunca estavam na sala ao mesmo tempo. Fui o último dos primos a perceber. Decepcionei-me duplamente: o Papai Noel não existia e eu fui estúpido o bastante para acreditar nele.

Passei a duvidar de tudo. Como saber se a Vovó Mafalda existe? Como saber se a Vovó Mafalda não é o meu avô? E o chão? O fogo? Logo percebi que o fogo existia, quando me queimei. Na falta de prova melhor, passei a acreditar cegamente nos meus sentidos (depois deixei de acreditar, quando usei drogas. Mas isso foi muito depois).

Não demorei a duvidar da existência de Deus. Ele se parecia com meu avô. Mais do que a Vovó Mafalda. E ao contrário da Vovó Mafalda, que estava na televisão ao mesmo tempo que meu avô estava na poltrona, eu nunca tinha visto Deus e o meu avô ao mesmo tempo, no mesmo lugar. Pra falar a verdade, eu nunca tinha sequer visto Deus. Será que, assim como Papai Noel e Vovó Mafalda, pensei, Deus é só um velhinho que inventaram pra gerar lucro?

Talvez tenha sido pra aplacar essa dúvida que ganhei de presente um livro chamado A *Bíblia para crianças*. Gostava muito de ler e lembro que devorei aquelas páginas com a mesma avidez dedicada aos meus livros preferidos. No entanto, ao contrário de *Convenção das bruxas* e *O grande amor do pequeno vampiro*, aquela história pecava por não ter coerência interna. Por que Deus criou o mundo e só depois criou a luz? Não era mais fácil ter feito o contrário? Os filhos de Adão e Eva eram irmãos? E tiveram filhos? Não é pecado? Procurei em vão pelo nome do autor, para lhe escrever uma carta. Não havia nenhuma menção ao autor, somente ao ilustrador, o que não me servia de nada. Pensei que talvez o protagonista pudesse me esclarecer alguma coisa.

Resolvi convocá-lo. Lembro-me como se fosse ontem. Fui até a janela do quarto e pensei bem forte: "Aparece, se você existe". Nada. "Vai, só pra mim, eu não conto pra ninguém." Repeti em voz alta: "Aparece, cara". Quem sabe, se eu disser as palavras mágicas, ele vem. "Por favor. Eu estou pedindo por favor." Nada.

Passei um bom tempo inconsolável. Ou bem Deus não existia, ou não estava nem aí pra mim. Ou ambas as coisas. Não, ambas as coisas não era possível. O fato é que o mundo ficou com uma lacuna impreenchível. Por que isso tudo? Pra que isso tudo? O que é isso tudo? O que vem depois disso tudo?

Foi por acaso (será?) que topei com um livro chamado *A Bíblia do caos*. O título me interessou, embora não soubesse o que é caos. Ou talvez por isso mesmo. O título era mais convidativo do que *A Bíblia para crianças* ou *A Bíblia Sagrada*. E embaixo do título, estava escrito: Millôr Definitivo. Pelo menos o autor dessa bíblia tinha coragem de assiná-la.

Logo na primeira página, percebi que aquilo, sim, era um livro que explicava o mundo. "Viver é desenhar sem borracha." Em cada verbete, Millôr revelava verdades subversivas. "O pessimista é um sujeito que acerta duas vezes: quando acerta e quando erra." E, finalmente, a frase que me arrebatou: "Se Deus existisse, já teria me convencido".

Usei o livro de todos os jeitos. Decorava as frases, uma por uma. Fazia perguntas e abria o livro numa página aleatória, como se faz com o *I Ching*. Anotava uma frase no caderno e assinava Gregorio Duvivier, só pra sentir como seria ter escrito uma frase dessas.

Um dia, minha mãe me apresentou para um senhor careca, atlético, de nariz grande e olhos vivos. "Esse é o Millôr", ela disse. "O definitivo?", perguntei. Ele não se parecia com Deus. Faltavam a barba e a cabeleira. Mas ele pelo menos existia. Decidi, desde então, que só ia venerar um Deus que frequentasse a minha casa.

E assim foi. Pelo menos um domingo por mês, o Millôr almoçava na varanda lá de casa, acompanhado de sua inseparável companheira Cora Rónai. Almoçavam também minhas incontáveis tias, primos, e outros artistas e jornalistas agregados. Mas eu só tinha olhos para o Millôr. Todo o mundo só tinha olhos para o Millôr.

Qualquer assunto que se apresentasse, o Millôr matava no peito e chutava de voleio, no ângulo. Ele falava tão bem quanto escrevia: com gestos largos e voz baixa, chiando no s, carioquíssimo. Tinha um vício de linguagem: suas frases eram concluídas pela expressão "você entende?". Era desnecessário. Todos já tinham entendido. E concordado. Quer dizer, nem sempre. Lembro de um dia em que ele discursava, veemente, contra a ciclovia. Era pequeno e não entendi nada. Perguntei à minha mãe, recentemente, o porquê desse ódio. Ela disse que não fazia a menor ideia. Mas era engraçado.

Vivemos tempos obscuros. Talvez Millôr tenha sido o primeiro a ver aquilo que ele chamava de "escuridão no fim do túnel". O aumento de informação não significa uma melhor qualidade de informação. O humor ficou mais iconoclasta, graças a Deus (quer dizer, apesar d'Ele), mas não melhor. O mesmo vale pro jornalismo. Sua carteira de trabalho, que lhe atribuía, na época, sessenta anos de jornalismo, já não valeria de nada. Qualquer um é jornalista. Qualquer um é produtor de conteúdo. Isso é ótimo. Mas é perigosíssimo.

Outro dia, vi um humorista usando o Millôr pra defender o politicamente incorreto e o "humor sem limites" (esse é um dos problemas de morrer, você continua sendo usado por aí). Não sei se o Millôr concordaria com isso. Apesar de ter sofrido com a censura e as patrulhas, tanto de esquerda como de direita, Millôr era bastante responsável politicamente. "Quem se curva aos opressores mostra a bunda aos oprimidos." Acho difícil que, em seu incontável rol de piadas, encontrem-se piadas racistas, por exemplo. Não estou dizendo que é impossível. Estou dizendo que é improvável. Tampouco o vejo alegando, em sua defesa, que determinada piada "é só uma piada". A piada é o seu material de trabalho, e não há nada de pequeno nisso. Uma piada, para o Millôr, é enorme. Trata-se de uma arma e ele sabia disso melhor que ninguém. "O humorista é um sujeito que tem importância suficiente pra ser preso mas não o bastante pra ser solto."

Ao ler *Tempo e contratempo*, não se deixe enganar. Seu texto frequentemente mimetiza a linguagem da infância. Seu traço parece naïf. O próprio título é um trocadilho bobo, assinado por um alter ego pueril. Mas por trás de Emmanuel Vão Gôgo, em cada página, se esconde Millôr Fernandes, nosso humorista mais cético. Em cada verbete desta enciclopédia humorística, a roupagem ingênua esconde um olhar subversivo sobre o mundo, mas também profundamente poético. E afetivo. O olhar de Vão Gôgo é o de quem vê o mundo pela primeira vez. E gosta dele. Assim como o pequeno Nicolau, de Goscinny, Vão Gôgo é uma criança que tenta entender o mundo, maravilhado. E a gente, que achava que entendia o mundo, percebe que não tinha entendido nada.

Leminski

AGOSTO DE 2013

CIA DAS LETRAS - INT./DIA
O assessor de imprensa está reunido com o pessoal da editora.
ASSESSOR Eu pensei numa estratégia de divulgação pro livro. A ideia é bombar a figura do Leminski na mídia. Levar ele pra fazer Jô, Luciana Gimenez, Amaury Jr...
EDITORA Não, você não entendeu.
ASSESSOR Ah, ele não faz Rede TV? Tudo bem. A gente foca mais nas revistas. Põe ele pra dar entrevista pro pessoal jovem que não conhece ele: *Todateen, Capricho*... A *Capricho* acabou?
EDITOR Não, por favor.
ASSESSOR Não? Ótimo. A gente põe ele de capa da *Capricho*. Ele topa sem camisa?
EDITOR Olha, acho difícil, porque ele morreu.
ASSESSOR Para, gente. Sério?
EDITORA Sério.
ASSESSOR É, isso muda um pouco as coisas.
EDITORA Muda.
ASSESSOR Tem certeza que ele morreu? Tem artista que a

gente acha que morreu e quando vai ver não morreu, tá numa novela da Record, ou na *Fazenda*.

EDITOR Não, acho que ele não tá na *Fazenda*.

ASSESSOR Se tivesse, pra mim era mais fácil. Bom, vamos ter que diversificar a estratégia. O livro é sobre o quê?

EDITORA São quatro biografias, do Bashô, Jesus Cristo, Cruz e Sousa e Trótski.

ASSESSOR Alguma dessas pessoas tá viva?

EDITORA Não.

ASSESSOR E qual é o nome do livro?

EDITORA *Vida*.

ASSESSOR Irônico, né? (*ele explica a piada*) Irônico o livro de uma pessoa que morreu sobre quatro pessoas que também morreram se chamar *Vida*.

EDITOR Sim, a gente já tinha entendido.

ASSESSOR A gente pode repensar esse título? Pensar em alguma coisa mais pra: *Biografias não autorizadas de Jesus e companhia*? Ou: *Jesus era de esquerda*? Ou: *Manual da liderança através dos ensinamentos de Jesus*? Acho que a gente tinha que focar em Jesus. Desses aí que vocês falaram aí é quem mais tem mídia.

A lucidez alucinada dos britânicos do Monty Python

JUNHO DE 2014

— Bom dia, por gentileza, eu gostaria de um artigo sobre o Monty Python.

Se esse artigo fosse uma cena do *Flying Circus*, talvez começasse com uma pessoa pedindo alguma coisa, educadamente — provável que fosse o Michael Palin, o mais educado do grupo, ou Graham Chapman, o clássico *straight man*. O atendente, se fosse John Cleese, talvez atacasse o cliente com uma banana. Se fosse Eric Idle, pode ser que respondesse em anagramas. Terry Jones iniciaria uma inquisição espanhola, enquanto Chapman ou Idle permaneceriam atônitos — até que um pé gigantesco, desenhado por Terry Gilliam, esmagaria a todos — ou algo totalmente diferente.

1999 — Muito antes do WhatsApp, já compartilhávamos toda sorte de vídeos, de todo tipo de conteúdo, por fitas de VHS devidamente rebobinadas mas, assim como no WhatsApp, compartilhava-se sobretudo pornografia — ao menos entre os meus amigos.

O Rafael Queiroga era o cara mais popular da turma de terça-feira do teatro Tablado, aula da Cacá Mourthé. Eu tinha treze e ele tinha dezesseis. Isso fazia dele uma espécie de ancião, portador das novidades do mundo lá fora. E ele tinha me abençoado com sua amizade. Um dia ele me deu um VHS surrado de capa muito colorida onde estava escrito: Monty Python ao vivo no Hollywood Bowl. Não parecia pornô. Merda.

Chegando em casa, a conclusão definitiva: não era pornô. "Isso é muito engraçado. Mas não era pra ser engraçado. Tem alguma coisa errada com isso. Mas eu tô achando muita graça. Tem alguma coisa errada comigo." Eram muitas sensações ao mesmo tempo. Fiquei obcecado.

Passei a vida tentando entender por que aquilo me fazia rir. Passei a perseguir com unhas e dentes essa coisa estranha que te faz rir sem você saber por quê.

1970 — Monty Python surge no momento mais louco do século, na cidade mais louca do mundo. Quantidades industriais de maconha eram combinadas com doses cavalares de drogas sintéticas e alguns alucinógenos naturais. No entanto, estranhamente, os Python passaram ao largo de tudo isso.

Ao contrário daquele outro grupo de meninos ingleses que mudaram o mundo, os Python tiveram uma vida acadêmica intensa — e uma vida social pacata. De um lado, Cleese, Chapman e Idle fizeram respectivamente direito, medicina e literatura em Cambridge — e se conheceram nos Footlight, o clube de teatro universitário mais famoso do país. Do outro, Palin e Jones estudaram história e literatura em Oxford — encontraram-se no Oxford Revue, o segundo clube de teatro mais famoso do país. Gilliam, o sexto integrante, não estudou — "ele é americano", explica Cleese.

Talvez porque fossem estudiosos demais, talvez porque a

comédia, mesmo a mais louca, exige certa sobriedade, Eric Idle afirma que nunca escreveram nenhum esquete sob a influência de droga alguma — a não ser por Graham Chapman, que bebia industrialmente, mas, em compensação, quase não escrevia. Acredite se quiser: os Python passaram os *swinging sixties* em reuniões de redatores — escrevendo, escrevendo, escrevendo e vez ou outra discutindo com furor se uma piada tinha graça. Por incrível que pareça, a revolução do humor se deu sem ajuda de psicotrópicos — e foi amplamente televisionada.

O convite da BBC partiu de Barry Took — um humorista consagrado — que reuniu os jovens redatores mais talentosos do mercado e deu-lhes o sonho de qualquer redator: carta branca total. A ideia era romper com a tradição da TV inglesa — coisa dificílima, porque a TV inglesa já era muito louca. O humor absurdo, graças a Peter Cook e Dudley Moore, estava em voga. David Frost e Marty Feldman destilavam um humor nonsense no horário nobre — com textos dos próprios Python. Em 1969, Spike Milligan estreia um programa mais ensandecido do que qualquer episódio do *Flying Circus* conseguiria ser — já havia em Milligan o clássico final metalinguístico usado em abundância pelo grupo nos anos seguintes: "Esse é o pior esquete em que eu já estive", "Vamos terminar esta cena?", "Vamos".

Para revolucionar a loucura que imperava, o ingrediente surpresa dos Python foi a lucidez. Embora hoje o nome dos Python seja evocado sempre que se fala em humor nonsense, não acredito que seja essa a grande contribuição do grupo. Vale lembrar que o *Flying Circus* surge quarenta anos depois do movimento surrealista e vinte anos depois do teatro do absurdo.

Se te vendem um papagaio morto e você dá em troca uma cacatua manca, você caiu no nonsense — e perdeu o espectador. O humor dos Python reside no fato de que um dos personagens sabe que o papagaio está morto enquanto o outro se recusa a percebê-lo — a tensão entre a loucura de um e a lucidez do outro prende o espectador na cadeira. Ele ri de nervoso. A grande novidade explosiva que caracteriza o *pythonesco* não é a comédia alucinógena, mas, muito pelo contrário, a interpretação realista de um universo alucinado.

A piada nunca é sublinhada pela interpretação. O ator costuma apontar para uma direção contrária à do texto. Embora John Cleese seja um mestre do humor físico, enquanto suas pernas chutam o vento e sua voz alcança 10 mil decibéis, seu rosto permanece impassível. Seu olhar permanece inalterado. À psicodelia vigente eles acrescentaram a impassibilidade inglesa (ou, se preferirem, a fleuma), além de uma crítica social ferina — dessa ninguém escapa.

O último filme do grupo, *O sentido da vida*, dispensou o contato com a realidade: está mais pra Buñuel que para Monty Python. E, assim como os filmes de Buñuel, tem momentos geniais — mas não me provoca gargalhadas. Vale a pena ver — mas não se compara aos filmes anteriores, *Em busca do Cálice Sagrado* e *A vida de Brian*.

Nos dois filmes, a trajetória do protagonista mantém um pé no real enquanto os coadjuvantes mais inusitados surgem para confrontá-lo: cavaleiros que dizem ni, um Pôncio Pilatos com língua presa. Graham Chapman, o Python mais louco, interpreta os dois protagonistas com uma seriedade emocionante. Sua lucidez — a palavra fundamental — torna hilária a loucura ao seu redor. Vale também lembrar que muitas vezes o que parece puro delírio é uma crítica corrosiva. *A vida de Brian* bate mais forte na Igreja do que qualquer vídeo do Porta dos Fundos — e gerou reações ainda mais odientas. Salve a lucidez, mãe da comédia. Salve Monty Python, inventor da lucidez alucinada.

2014 — Os cinco vão se apresentar em Londres. O motivo

da reunião inédita não é a saudade — é uma dívida de 800 mil libras com um antigo produtor que processou o grupo, além da pensão de 600 mil libras que Cleese paga anualmente para sua ex-mulher.

 Ninguém sabe qual vai ser o conteúdo do show. Talvez tenha material novo. Talvez eles reencenem velhas esquetes. Não importa. Estarei lá. Todos nós, do Porta dos Fundos, estaremos. O motivo? Também temos uma dívida a pagar — incalculável.

Michelangelo e a Capela Sistina

MAIO DE 2013

Renascença. Sacristia.
PADRE Você que é o pintor de parede?
MICHELANGELO Eu acho esse termo meio restritivo.
PADRE Por quê?
MICHELANGELO Porque eu não pinto só paredes...
PADRE Mas você não veio pintar a parede da capela?
MICHELANGELO Isso. Então...
Michelangelo tira da bolsa uns projetos e mostra.
MICHELANGELO Eu pensei em pintar a história do mundo, resumida, em quadrinhos...
PADRE Não, você não entendeu. A gente só queria que você pintasse.
MICHELANGELO É isso que eu vou fazer. Pintar a história do mundo no teto, e nas paredes, os santos. Eu trouxe uma referência, que são essas igrejas bizantinas, escandalosas...
Michelangelo tira mais imagens da bolsa.
PADRE Mas a gente só queria que você pintasse de branco, porque tava descascando.

MICHELANGELO Mas vocês não pensam em dar uma mudada?

PADRE Sim, talvez pra verde-água. Nosso coroinha é louco por turquesa. Mas a história do mundo é uma coisa que não nos ocorreu.

MICHELANGELO Mas preenche bem o teto. Instrui. A pessoa que estiver olhando pro teto vai aprender um pouco mais....

PADRE Quem é que vai olhar pro teto, garoto? Quem é que vai perceber que aquilo é a história do mundo? Pinta só de branco, mesmo.

MICHELANGELO Mas pelo mesmo preço de pintar de branco eu faço a história do mundo.

PAPA Não precisa.

MICHELANGELO A história do mundo eu faço mais barato.

PAPA Mais barato? Vai dar muito mais trabalho pra você.

MICHELANGELO Eu faço pela vitrine. Vai divulgar meu trabalho.

PAPA Mas vai poluir visualmente.

MICHELANGELO Eu faço de graça.

PAPA Quer um conselho? Vai pra Roma. Lá o pessoal adora arte contemporânea. A gente só quer uma parede branca mesmo. Tem condição?

Michelangelo pensa.

MICHELANGELO Pode ser verde-água?

Lucky bastards

JULHO DE 2014

A coletiva começou com um vídeo, feito especialmente pelos Rolling Stones para a ocasião. No vídeo, Mick Jagger está em casa, assistindo televisão, e descobre que o Monty Python vai voltar a se apresentar. "Acho muito deprimente esses velhos que não sabem a hora de parar, diz Jagger, e ficam se agitando no palco como se fossem jovens." O baterista Charlie Watts olha pra ele, constrangido. Fim do vídeo. Entram os cinco Python. E o espírito de Deus se moveu sobre a face das águas.

Queria perguntar um trilhão de coisas, mas os jornalistas do mundo inteiro (uns cinquenta) disputavam a palavra. Queria dizer que amava eles incondicionalmente, fazer coraçãozinho com as mãos, pedir pra eles mandarem um beijo pra minha mãe, pro meu pai, e especialmente pra mim. Até que a bola caiu no meu pé, como um milagre — operado pelo amigo Pedro Caiado, jornalista calejado, que levantou a mão, matou no peito e tocou a bola pra mim. Falei, idiotamente: "Hi, my name is Gregorio Duvivier, I am brazilian". Ao que John Cleese cortou: "You Lucky bastard".

Timing perfeito. Todos riram. Genial. O que me desconcertou ainda mais. Respirei fundo, tomei coragem e perguntei: "Vocês assistem à comédia que se faz hoje em dia?". Silêncio enorme. "Não", responde John Cleese. Todos riem. Não pode acabar assim. Tomo coragem. Insisto na pergunta: "Não tem nada, nos últimos trinta anos, que fez vocês rirem?". Terry Jones diz, timidamente: gosto do Louis CK. Michael Palin tenta lembrar o nome de uma comediante que ele gosta: Rebecca... Mas não lembra. John Cleese toma a palavra e arremata, com a sinceridade que lhe é característica: "A parte interessante de ficar velho é que você não precisa mais fingir que se interessa pelas novidades e pode ser feliz apenas relembrando os bons momentos".

Essa frase ficou ecoando na minha cabeça ao longo de todo o espetáculo a que eu assisti ontem. Se eu fosse crítico de teatro, teria odiado a peça. Até porque não é teatro. Em duas horas e meia de peça, não há uma ideia sequer de encenação, um recurso teatral que justifique o fato de estarmos vendo esquetes que já sabemos de cor. A ordem dos esquetes parece randômica. A peça começa com o esquete das lhamas, executado com um timing lento. Parece que eles estão imitando a si mesmos.

Se fosse crítico, diria que enferrujaram. Alguns atores sequer sabiam o texto. No esquete "Sapinhos Crocantes", Terry Jones lia o texto no teleprompter — a plateia conhecia o esquete melhor que ele. John Cleese tinha ininterruptas crises de riso. Os esquetes filmados — as únicas "novidades" da noite — eram constrangedoramente amadores e mal filmados. A prometida aparição de Stephen Hawking se deu no meio de uma piada idiota ou inteligente demais pra mim. Os números de dança se arrastavam por minutos intermináveis.

A sorte é que eu não sou crítico de teatro. E a peça foi um dos momentos mais emocionantes da minha vida. Não só pra mim. Arrisco dizer que pra maioria das pessoas que estavam ali. Exatamente por causa de todas essas falhas que eu citei. Não tem nada melhor do que ver o seu ídolo falhando — era tudo o que a gente queria, no fundo. Além disso, essas falhas — ausência de dramaturgia, as piadas infantis, as interpretações amadoras — já estavam presentes em larga escala no Monty Python de antigamente, e arrisco-me a dizer que era exatamente por causa delas que a gente amava eles. E eles continuam iguaizinhos, do jeito que a gente ama.

No final da noite, cantando "Always Look On The Bright Side of Life" com Eric Idle e as 15 mil pessoas que estavam na plateia — entre elas alguns amigos da vida toda — estava feliz como nunca estive.

A busca pela novidade escraviza. O apego ao passado não é uma prisão: a pior escravidão é a necessidade de frescor. A felicidade pode estar, sim, na repetição do passado, na encenação da memória, nas nossas velhas falhas de sempre. Não há nada de errado com tudo o que a gente tem de errado. Os Stones sabem disso. Os Python também. Lucky bastards.

Mosqueteiros RH

SETEMBRO DE 2013

No porão do castelo, o valete encarregado do RH *preenche fichas. Ouve um barulho. É Porthos, o mosqueteiro, que entra levemente embriagado.*

RH Pode entrar, Porthos.

PORTHOS Opa! Alguma coisa que eu fiz?

RH Então, eu acho que nós temos um problema.

PORTHOS É aquela história que eu tô matando pombo? Eu posso parar de matar pombo.

RH Eu nem sabia que você tava matando pombo.

PORTHOS Eu não tô matando pombo. Eu não tenho porque matar pombo. Eu adoro pombo.

RH Que bom. Não é por isso. É essa coisa dos três mosqueteiros.

PORTHOS Qual é o problema de nós três?

RH O problema é que, desde que o D'Artagnan chegou, vocês são quatro.

PORTHOS Podecrer! Outro dia eu atinei pra isso também. A gente foi pedir comida, perguntaram quantos eram, aí eu fui contar e percebi: quatro.

RH Você não foi o primeiro. Isso já é motivo de piada. Tá desmoralizando a França como um todo.

PORTHOS Quer chamar de quatro mosqueteiros? Tudo bem, não me oponho.

RH Então, não dá mais. Vocês já são famosos no mundo inteiro. Já são uma marca, sabe? Alguém tem que sair.

PORTHOS Sim, pra mim o D'Artagnan não tinha nem que ter entrado.

RH Mas por causa dele que vocês ficaram famosos no mundo inteiro. Foi ele que bombou vocês na mídia.

PORTHOS Quer que eu converse com o Aramis? Acho que ele já tá meio numa de sair, então acho que ele súper vai entender.

RH O Aramis é o nosso melhor esgrimista, não faz sentido ele sair.

PORTHOS Athos?

RH O líder? O mais velho e experiente?

PORTHOS Eu não ia tocar nesse assunto da velhice, mas agora que você falou... Ele já não tá mais segurando as missões, tá pegando mal pra ele...

RH É contigo, mesmo, Porthos.

PORTHOS Mas eu sou o mais divertido.

RH Mas são os três mosqueteiros. Não é um grupo de improvisação.

Porthos vai até a porta, deixa o chapéu e o florete.

PORTHOS O.k., mas as missões vão ser um tédio.

O palhaço Grock

AGOSTO DE 2014

Em sua autobiografia, Groucho Marx conta a história de um homem que vai ao médico porque sofre de uma depressão incurável. "Sou o homem mais triste do mundo", ele diz. O médico lhe receita um bom show de humor. "É infalível." O homem diz que não adianta, nada lhe faz rir. O médico então sugere uma visita ao circo da cidade, onde está se apresentando o melhor palhaço do mundo. "Não há depressão que resista a um show do palhaço Grock." Ao que o homem responde, inconsolável: "Eu sou o palhaço Grock".

O comediante é sempre convidado pra festas. Os anfitriões costumam achar que ele vai ser a alegria da noite. Nunca é. Em geral, o comediante não dança, não ri, não relaxa. Fica num canto, escondido, julgando a todos e a si mesmo. Aquela voz interior não cala a boca: "Isso é ridículo. Você é ridículo. Nada disso faz sentido. Você não faz sentido". Não sei dançar sem pensar em como os meus movimentos estão ridículos e em como todos estão comentando que os meus movimentos estão ridículos. Preciso beber muito para esquecer que não faz sentido nenhum mexer os ossos ritmadamente.

Robin Williams é o ser humano que mais me fez chorar na vida. Quando meus pais se separaram, assistia *Uma babá quase perfeita* cem vezes por semana. Não era fácil assistir um filme cem vezes — naquela época tinha que rebobinar. Minha parte preferida era quando ele dizia, olhando para a câmera: "Se os seus pais não se amam, não significa que eles não te amam mais". Eu chorava, chorava, chorava. Obrigado, Robin Williams.

Quando vi *Aladim*, quis ser o gênio da lâmpada. Quando vi *Sociedade dos poetas mortos*, quis ser professor. Quando vi *Gênio indomável*, quis ser psicanalista. Até que percebi que não queria ser nada disso. Eu queria ser Robin Williams. (Até que vi *Patch Adams* e desisti de ser Robin Williams. Filme ruim da porra.)

Robin Williams não sabia rir. Quando puxava os lábios em direção às orelhas, seus olhos caíam junto. Metade do rosto ria, a outra metade pedia socorro.

Só se faz um bom samba com tristeza. A boa piada precisa de inteligência e de desgraça. Piada sem desgraça é uma tristeza. Piada sem inteligência é uma desgraça.

Uma boa piada pode resolver, por alguns segundos, os problemas do mundo inteiro — a não ser, é claro, os do próprio humorista. O humor não resolveu os problemas de Robin Williams.

Oh, captain, my captain: nós vamos continuar te amando. Mesmo depois de *Patch Adams*.

Werner

AGOSTO DE 2013

Quando nasceu, no mesmo quarto acontecia um parto espetacular. Era o primeiro parto de sétuplos do mundo e a mãe dos bebês havia convidado todas as emissoras do país a televisionarem o recorde. No mesmo momento em que todas as câmeras focavam na grávida recordista, nascia, ao fundo do quarto, todo desfocadinho, um bebê chamado Werner, o primeiro bebê-figurante da história.

Quando pequeno, na escola, Werner estava sempre no meio da massa de alunos, sem jamais se fazer notar. Ninguém se lembrava do seu nome, apesar de tão particular. Conheciam-no ora como menino ora como ei, psiu ou você. Quando tentava dizer algo, era reprimido e mandado para o fundo da sala. Logo descobriu que estaria condenado a sentar no fundo. Mesmo quando não estivesse sentado lá. Quando, por acaso, se sentava na primeira fila, era no fundo que as coisas aconteciam. Quando passava pro fundo, o fundo voltava a ser só o fundo.

Um dia, resolveu fazer uma loucura: saiu de casa vestido com o maiô da mãe. Descobriu que não era o único. Talvez fosse o mais discreto. A rua estava tomada de homens vestidos com as roupas da mãe e mulheres vestidas de roupa nenhuma. Era Carnaval.

Ao contrário do que se poderia pensar, sua vida não era um tédio. Muito pelo contrário. Ao seu lado sempre aconteciam as coisas mais fantásticas. Bastava ele sair de casa para que prédios pegassem fogo, super-heróis dessem um rasante para salvar alguma menina indefesa e um homem-bomba se partisse em mil pedaços. Ele só observava perplexo e conversava com as pessoas ao seu lado (sem fazer muito barulho).

Aprendeu a falar baixo, para não atrapalhar a ação principal. Aprendeu a concordar com o que estavam dizendo. Aprendeu a gesticular como quem concorda. Quem está em segundo plano nunca discorda. O pessoal desfocado passa a vida concordando. A não ser em época de protestos. Lá estava ele, na Paulista, discordando. Educadamente. Como quem concorda.

Descobriu os prazeres de não ser notado. Nunca foi julgado. Nunca disseram dele: esse aceno de cabeça foi meio torto. Esse abraço desfocado não está muito crível. Ele só passava, sorrindo. E passou a ser bom nisso. Quando passava, as pessoas se sentiam melhor. Passava tão sem intenção, tão sem objetivo, tão somente por passar, que parecia que estava tudo em ordem.

Até que um dia Werner morreu. Ou melhor, foi demitido. Olhou para a câmera.

Cross fit consciente

JULHO DE 2014

PROFESSOR Oi, pessoal, eu sou o novo professor de vocês. Hoje a gente vai fazer um pouco de cross fit consciente. Vamos começar driblando aqueles cones como se a vida de alguém dependesse disso, como se a gente precisasse correr, e não estivesse correndo só pra preencher o vazio de alguma coisa que a gente não sabe o que é. Imaginem que vocês estão de fato melhorando o mundo em alguma coisa e não estão correndo só pra endurecer a bunda.

Ele pega pesos e distribui entre os alunos.

PROFESSOR Vamos carregar este peso aqui como se fosse um saco de comida e vocês estivessem levando ele pra alguém que está passando fome. Como se fosse cimento e vocês estivessem colaborando pra fazer a casa de alguém que mora na rua. Gente, essa pessoa tá com pneumonia e precisa de um teto. Quero mais ritmo. A casa tem que ficar pronta antes que volte a chover senão você perde todo o trabalho que você fez durante o dia. Esquece que é só vaidade. Esquece que você só está querendo parecer um pouco mais jovem, ou um pouco mais magro, postar uma foto

no Instagram. Finge que é altruísmo. Finge que isso vai fazer bem pra alguém. Finge que o mundo precisa que você faça isso. Boa. Salvou um miserável. Quer dizer, não salvou ninguém. Mas poderia ter salvado. Se de fato se preocupasse com outra pessoa que não você.
Ele vai até as barras.
PROFESSOR Agora vamos esquecer por um momento que a gente vai morrer e que não faz nenhum sentido levantar essa barra. Vamos esquecer que essa energia que a gente está perdendo aqui não está gerando nada pra ninguém a não ser pra gente mesmo. Vamos esquecer que a gente poderia estar passando esse tempo com nossos pais, com nossos avós ou com pessoas que podem morrer a qualquer momento enquanto a gente está aqui. Boa, Jorge.
PROFESSOR Vamos agachar igual a empregada está abaixando em casa pra limpar o chão que a gente não tem tempo pra limpar porque tá malhando, simulando que a gente está limpando o chão e fazendo menos exercício do que se a gente estivesse de fato limpando alguma coisa. Vamos levantar esse peso como a babá levanta o filho que a gente não tem muito tempo pra ver porque a gente tá aqui simulando o gesto de levantar uma barra que tem exatamente o peso do nosso filho. Isso. Agora vamos pra casa, deitar na cama e dizer que a gente teve um dia cheio e precisa dar uma descansada.

Não estou aqui

MAIO DE 2014

Não estou aqui. Nunca estive. Isso é o que eu sei fazer melhor: não estar aqui, agora. Não sei quando foi que comecei a me especializar nisso, mas acho que foi cedo. Demorei a andar. Demorei a falar. Mas comecei a ler muito cedo, quando descobri que ler é uma ótima maneira de não estar aqui. Passei os primeiros anos da minha vida não estando aqui, nem perto daqui: estava nos livros do Roald Dahl, no programa da Vovó Mafalda ou em outros lugares inexistentes como a Conchinchina. Lá, eu era amigo do rei. E do Ézio, artilheiro do Fluminense.

Durante os dez primeiros anos da minha vida, estive aqui poucas vezes. Lembro de um aniversário em que fiz uma breve aparição. Vi o mundo e achei apavorante. Era melhor voltar para o outro mundo: era mais aconchegante. As crianças não gritavam tanto. Lá não tocava o Parabéns da Xuxa. Lá ninguém cantava "Com quem será que o Gregorio vai casar, vai depender se a..." e diziam o nome da menina que eu gostava na frente dos meus pais e da menina que eu gostava. A solução era se esconder debaixo da mesa, uma Conchinchina possível.

Se você me conheceu e me achou esquisito, desculpa: era muito provável que não fosse eu. Se me achou simpático, desculpa: também é provável que não fosse eu. A carcaça está muito bem treinada para fingir que sou eu. Talvez, se você me vir de novo, eu te reconheça. Isso tampouco vai significar que sou eu. A carcaça lembra de rostos e nomes. Ela olha nos seus olhos enquanto você fala. Não se preocupe. Ela é uma boa pessoa. Ela é uma pessoa melhor que eu. Eu preferia mil vezes estar aqui, falando com você. Mas tem alguma coisa que me puxa pra lá. É mais forte que eu.

Onde é lá? Deixei de frequentar a Conchinchina quando descobri que ela existe — ou existiu, era uma parte do Vietnã —, logo não obedece às leis que eu inventar. Em geral, quando não estou aqui estou num lugar em que eu já estive mas, quando eu estive, não estava, ou estou nos lugares em que um dia estarei mas, no dia em que eu estiver, talvez eu já não esteja mais. Raramente encontro comigo mesmo. Quando acontece, é uma festa.

Tem acontecido cada vez mais. Aqui tem empadinha de queijo e petit gateau com sorvete. Nas festas, quase não toca mais o Parabéns da Xuxa. Todo o mundo já sabe o nome da menina que eu gosto — inclusive ela. A gente mora junto. Do jeito que a coisa anda, qualquer dia me mudo pra cá.

Versão brasileira

DEZEMBRO DE 2012

O homem acorda, a mulher está lendo jornal na sala. Quando ele fala, a voz que sai é de um dublador famoso.
HOMEM Bom dia.
MULHER O que é isso?
HOMEM Isso o quê?
MULHER Sua voz.
HOMEM Tá diferente, né?
MULHER Não. É outra voz. De outra pessoa.
HOMEM Não é, não.
MULHER É sim. Amor, você tá sendo dublado.
HOMEM Rá, rá, rá, vê se pode.
MULHER Tá, sim. E mal dublado. A sua voz não tá colando direito com a sua boca. Olha no espelho.
Eles vão para o banheiro.
HOMEM Claro que tá... Ih, não tá, não.
MULHER Calma, às vezes minha voz tá esquisita também. Tenta bochechar, que de repente passa.
Homem pega em suas mãos um Listerine e lê o rótulo com voz em off.

HOMEM Enxaguante bucal.
MULHER Por que é que você falou isso?
HOMEM Porque tem gente que não sabe ler.
MULHER Que gente? De quem você tá falando?
Homem bochecha. Sua voz sai diferente. Mas continua de dublagem.
HOMEM Tá melhor?
MULHER Não.
HOMEM Cacilda.
MULHER Cacilda? Será que você não consegue mais falar palavrão?
HOMEM Claro que consigo.
MULHER Fala Caralho.
HOMEM Cacilda.
MULHER Caralho.
HOMEM Cacilda.
MULHER Caralho.
HOMEM Cará... coles. Não consigo. Pombas.
MULHER Pombas?
HOMEM Eu falei Pombas. Só que saiu Pombas. Pombas. Melda. Melda?
Mulher começa a apalpá-lo.
HOMEM O que é que você tá fazendo?
MULHER Tô procurando a tecla SAP.
HOMEM Não faz isso. Pelo amor de Deus. Eu vou chamar os tiras!
Mulher acha a tecla SAP (fora de quadro). Homem fala com sua voz normal, porém em inglês.
HOMEM Oh, fuck.

Spoilers

JULHO DE 2014

Uma mulher é assassinada no Baixo Gávea ao meio-dia. Um avião é derrubado e mata trezentas pessoas. Morre João Ubaldo Ribeiro. Israel invade a Faixa de Gaza.

A morte dos outros é um spoiler. Parece te revelar algo que você não sabia, ou fingia não saber sobre você mesmo: você vai morrer. Olhe à sua volta. Todo mundo vai morrer. A vida é pior que *Game of Thrones*. Não sobra nem o anão. A vida só é possível enquanto a gente esquece que a morte está à espreita. Os jornais, como a revista *Minha Novela*, contam o que a gente não quer saber. "Olha a morte ali, te esperando. Nada disso faz sentido. Nunca fez."

Há quem busque um sentido na religião, só porque ela jura que o melhor está por vir. O padre dá ao beato o mesmo conselho que um fã de *Breaking Bad* dá àquele que está começando a série: só vai ficar bom mesmo lá pela última temporada. Mas não pule nenhum capítulo. Você vai ser recompensado. Confie em mim.

O que vale para *Breaking Bad* não vale para a vida. O

câncer não regride quando você começa a vender drogas — infelizmente. A vida está mais pra *Lost*. A cada episódio que passa surgem novos mistérios. Prometem que no final tudo vai se esclarecer mas tudo acaba de repente, com todo mundo se abraçando. Só te resta a perplexidade: mas e aquele pé gigantesco? E aqueles números malditos? E aquele moço que usa lápis no olho e não envelhece? E o Rodrigo Santoro? Esquece. A vida vai morrer na praia.

O que entendi é que é melhor desistir de entender. O roteirista da vida é preguiçosíssimo. Personagens queridos somem do nada. Personagens chatíssimos duram pra sempre. A gente vê episódios inteiros de pura enchação de linguiça e, de repente, tudo o que deveria ter acontecido numa temporada inteira acontece num dia só. As coincidências não são críveis — e são numerosas demais. A vida é inverossímil.

Aí você me pergunta: vale a pena ver um seriado tão longo que pode ser interrompido a qualquer momento sem que te expliquem porra nenhuma? Talvez valha, como *Seinfeld*, pelas tardes com os amigos tomando café e falando merda. Ou, como *Girls*, pelas cenas de sexo. E pela nudez. Talvez valha, como *Chaves*, pra rir das mesmas piadas e chorar quando você menos espera. Pelos churros. Pelos sanduíches de presunto.

E vale, de qualquer maneira, porque a vida, chata, óbvia ou repetitiva, é a única coisa que está passando.

Agradecimentos

Queria agradecer a Clarice Falcão, princípio, meio e fim: primeira leitora e primeira musa, ao mesmo tempo fonte de inspiração e público-alvo, para quem eu escrevo e sobre quem eu escrevo.

A Clarice Falcão, Fábio Porchat, Luis Lobianco, Rafael Infante, Marcos Veras, Júlia Rabello, Leticia Lima, Antonio Tabet, João Vicente de Castro, Marcus Majella e Gabriel Carbonelli, atores do Porta dos Fundos e meus melhores amigos, que emprestaram seu gênio e seu amor aos personagens aqui reunidos — melhorando-os imensamente.

A Ian SBF, Antonio Tabet, Gabriel Esteves, João Vicente de Castro e Fábio Porchat, roteiristas do Porta dos Fundos, que enriqueceram os textos com sugestões brilhantes, críticas sinceras, sugestões sinceras e críticas brilhantes, nas intermináveis reuniões de roteiro madrugada adentro.

A Ian SBF e Rodrigo Magal, que dirigiram magistralmente a maioria dos vídeos do Porta aqui publicados, muitas vezes solucionando-os.

A Heloísa Helvécia, Alexandra Moraes, Guilherme Genestreti, Juliana Kalil Gragnani, Giuliana de Toledo, Matheus Magenta, Thales de Menezes, Daigo Oliva Suzuki, Ivan Finotti, Francesca Angiolillo e todos os editores da Ilustrada que passaram sábados esperando meu texto chegar — e os domingos recebendo outras versões do mesmo texto, e fizeram o possível para publicá-lo. A Natalia Forcat e Nina Tomé, que ilustraram as colunas em tempo recorde.

A Fernanda Mena, que me convidou para escrever na *Folha*, e veio até o Rio só pra isso, a culpa é dela.

A Sérgio Dávila, editor da *Folha* e chefe dos sonhos, que me dá total liberdade e vez ou outra um aumento.

A Luis Fernando Verissimo, ídolo maior, pelo conjunto da obra e pela frase da contracapa.

A Adriana Falcão, que dá o próprio número de telefone no check-in e foi a inspiração do esquete "Número de emergência".

Aos meus pais, pelo amor. Aos meus irmãos, pela parceria. Aos amigos, todos, por tudo.

A Alceu Nunes, pela capa, e por me indicar o bar Sagarana, na Lapa.

A Christian Gaul, pela foto da capa, e pela taça de vinho que eu quebrei manchando para sempre o seu tapete.

A Sofia Mariutti, editora que se tornou amiga-do-fundo-do-peito. Foi quem inventou este livro, e insistiu, e revisou, e cortou, e corrigiu, e acrescentou, e melhorou, e sugeriu, e brigou e cuidou dele como se fosse o último, e de cada texto seu como se fosse o único. Obrigado.

Nota dos editores

Muitos dos textos reunidos neste volume foram publicados anteriormente.

"Mas antes,", "Se o prédio tivesse trinta andares", "Calma, Cláudio", "Breve história da internet", "Assunto urgente", "Meus pais", "História real", "A coluna inútil daquele maconheiro", "A família brasileira", "É menina", "Xingamento", "O sujeito detestável", "É menino", "Orgulho hétero", "Péssimo mau gosto", "A religião dos outros", "Deus e a Copa", "Acabou a baderna", "Moda reaça", "O país e o armário", "Nuances", "Autor não encontrado", "Horóscopo", "Piada", "Pardon anything", "Se eu morresse...", "O seguro morreu de chato", "O ovo", "Esse ano passou rápido", "O homem de 2003", "É melhor ter wi-fi que ter razão", "Túnel do tempo", "A vida no hospício", "Baixinho", "Conto de Natal", "Meu irmão", "Lucky bastards", "O palhaço Grock", "Werner", "Não estou aqui" e "Spoilers" foram publicados no caderno Ilustrada, da *Folha de S.Paulo*, entre agosto de 2013 e agosto de 2014.

"Finch na Lua" foi escrito para o blog de teatro da *Veja Rio* em maio de 2013, a convite do crítico Rafael Teixeira. Gregorio conta que o convite veio porque ele estava em cartaz com duas peças ao mesmo tempo, um monólogo dramático às terças e quartas — *Uma noite na Lua* — e uma comédia musical da Broadway de quinta a domingo — *Como vencer na vida sem fazer força*. "Nas segundas-feiras", diz ele, "quase morria de tédio."

"Carvana e Mnouchkine" foi publicado no jornal *O Globo* em agosto de 2011.

"Amizade platônica (o Prata e eu)" foi escrito para o lançamento conjunto de *Ligue os pontos*, de Gregorio Duvivier, e *Nu, de botas*, de Antonio Prata, no Cine Joia, em São Paulo, em novembro de 2013.

"Tempo e contratempo" foi encomendado pela Companhia das Letras e publicado no blog da editora na ocasião do relançamento de *Tempo e contratempo*, de Millôr Fernandes, em junho de 2014.

"A lucidez alucinada dos britânicos do Monty Python" foi encomendado pelo caderno Ilustríssima, da *Folha de S.Paulo*, antes da reunião inédita do grupo para apresentação em estádio de Londres, em julho de 2014.

Os roteiros "Papai", "Intimidade", "Vozinha", "Terapia de casal", "Tribunal", "Leiconha", "Crianças", "Parei tudo", "Pão nosso", "Chuteira", "Xingó-Kaiapu", "Parcerias", "A boa de segunda", "Pobres", "Quem nunca", "Cabeça do Gregorio", "Garçom vegetariano", "Tradução simultânea", "Número de emergência", "Nutrição", "Drédito", "Sessão de terapia", "Áries", "O ator precoce", "Crítica", "Michelangelo e a Capela Sistina", "Mosqueteiros RH", "Cross fit consciente" e "Versão brasileira" foram escritos para o canal Porta dos Fundos entre setembro de 2012 e agosto de 2014. Todos eles foram gravados e estão disponíveis em https://www.youtube.com/user/portadosfundos.

O roteiro "Leminski" foi encomendado pela Companhia das Letras em agosto de 2013 e gravado como estratégia promocional do livro *Vida* de Paulo Leminski. O vídeo pode ser acessado em https://www.youtube.com/watch?v=RJNL2Lb_CzA.

Os demais textos são inéditos.

1ª EDIÇÃO [2014] 3 reimpressões

ESTA OBRA FOI COMPOSTA PELO GRUPO DE CRIAÇÃO EM ELECTRA E
IMPRESSA PELA GEOGRÁFICA EM OFSETE SOBRE PAPEL PÓLEN SOFT
DA SUZANO PAPEL E CELULOSE PARA A EDITORA SCHWARCZ
EM FEVEREIRO DE 2016